3 3학년

• (두/세 자리 수)×(두 자리 수) •

교과 과정 완벽 대비
수학 전문가가 만든 연산 교재
다양한 형태의 문제로 재미있게 연습하는 **원리셈**

지은이의 말

수학은 원리로부터

수학은 구체물의 관계를 숫자와 기호의 약속으로 나타내는 추상적인 학문입니다. 이 점이 아이들이 수학을 어려워하는 가장 큰 이유입니다. 이러한 수학은 제대로 된 이해를 동반할 때 비로소 힘을 발휘할 수 있습니다. 수학은 어느 단계에서나 원리가 가장 중요합니다.

수학 교육의 변화

답을 내는 방법만 알아도 되는 수학 교육의 시대는 지나고 있습니다. 연산도 한 가지 방법만 반복 연습하기 보다 다양한 풀이 방법이 중요합니다. 교과서는 왜 그렇게 해야 하는지 가르쳐 주고 다양한 방법을 생각하도록 하지만, 학생들은 단순하게 반복되는 연습에 원리는 잊어버리고 기계적으로 답을 내다보니 응용된 내용의 이해가 부족합니다.

연산 학습은 꾸준히

유초등 학습 단계에 따라 4권~6권의 구성으로 매일 10분씩 꾸준히 공부할 수 있습니다. 원리와 다양한 방법의 학습은 그림과 함께 재미있게, 연습은 다양하게 진행하되 마무리는 집중하여 진행하도록 했습니다. 부담 없는 하루 학습량으로 꾸준히 공부하다 보면 어느새 연산 실력이 부쩍 늘어난 것을 알 수 있습니다.

개정판 원리셈은

동영상 강의 확대/초등 고학년 원리 학습 과정 강화 등으로 교과 과정을 완벽하게 대비할 수 있도록 원리와 개념, 계산 방법을 학습합니다. 단계별 원리 학습은 물론이고 연습도 강화했습니다.

학부모님들의 연산 학습에 대한 고민이 원리셈으로 해결되었으면 하는 바람입니다.

지은이 천종현

원리셈의 특징

원리셈의 학습 구성

한 권의 책은 매일 10분 / 매주 5일 / 6주 학습

원리셈의 시나브로 강해지는 학습 알고리즘

초등 원리셈은

시작은 원리의 이해로부터, 마무리는 충분한 연습과 성취도 확인까지

체계적인 학습 구성

쉽게 이해하고 스스로 공부!
실수가 많은 부분은 별도로 확인하고 연습!
주제에 따라 실전을 위한 확장적 사고가 필요한 내용까지!
원리로 시작되는 단계별 학습으로 곱셈구구마저 저절로 외워진다고 느끼도록!

원리셈 전체 단계

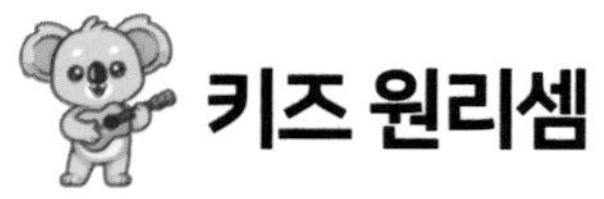

키즈 원리셈

5·6 세	
1권	5까지의 수
2권	10까지의 수
3권	10까지의 수 세어 쓰기
4권	모아 세기
5권	빼어 세기
6권	크기 비교와 여러 가지 세기

6·7 세	
1권	10까지의 더하기 빼기 1
2권	10까지의 더하기 빼기 2
3권	10까지의 더하기 빼기 3
4권	20까지의 더하기 빼기 1
5권	20까지의 더하기 빼기 2
6권	20까지의 더하기 빼기 3

7·8 세	
1권	7까지의 모으기와 가르기
2권	9까지의 모으기와 가르기
3권	덧셈과 뺄셈
4권	10 가르기와 모으기
5권	10 만들어 더하기
6권	10 만들어 빼기

초등 원리셈

1학년	
1권	받아올림/ 내림 없는 두 자리 수 덧셈, 뺄셈
2권	덧셈구구
3권	뺄셈구구
4권	□ 구하기
5권	세 수의 덧셈과 뺄셈
6권	(두 자리 수)±(한 자리 수)

2학년	
1권	두 자리 수 덧셈
2권	두 자리 수 뺄셈
3권	세 수의 덧셈과 뺄셈
4권	곱셈
5권	곱셈구구
6권	나눗셈

3학년	
1권	세 자리 수의 덧셈과 뺄셈
2권	(두/세 자리 수)×(한 자리 수)
3권	(두/세 자리 수)×(두 자리 수)
4권	(두/세 자리 수)÷(한 자리 수)
5권	곱셈과 나눗셈의 관계
6권	분수

4학년	
1권	큰 수의 곱셈
2권	큰 수의 나눗셈
3권	분모가 같은 분수의 덧셈과 뺄셈
4권	소수의 덧셈과 뺄셈

5학년	
1권	혼합 계산
2권	약수와 배수
3권	분모가 다른 분수의 덧셈과 뺄셈
4권	분수와 소수의 곱셈

6학년	
1권	분수의 나눗셈
2권	소수의 나눗셈
3권	비와 비율
4권	비례식과 비례배분

초등 원리셈의 단계별 학습 목표

원리와 연습을 모두 잡는 원리셈!!

학년별 학습 목표와 다른 책에서는 만나기 힘든 특별한 내용을 확인해 보세요.

1학년 원리셈

모든 연산 과정 중 실수가 가장 많은 덧셈, 뺄셈의 집중 연습
여러 가지 계산 방법 알기
덧셈, 뺄셈의 관계를 이용한 '□ 구하기'의 이해

2학년 원리셈

두 자리 덧셈, 뺄셈의 여러 가지 계산 방법의 숙지와 이해
곱셈 개념을 폭넓게 이해하고, 곱셈구구를 힘들지 않게 외울 수 있는 구성
나눗셈은 3학년 교과의 내용이지만 곱셈구구를 외우는 것을 도우면서 곱셈구구의 범위에서 개념 위주 학습

3학년 원리셈

기본 연산은 정확한 이해와 충분한 연습
곱셈, 나눗셈의 관계를 이용한 '□ 구하기'의 이해
분수는 학생들이 어려워 하는 부분을 중점적으로 이해하고, 연습하도록 구성

4학년 원리셈

작은 수의 곱셈, 나눗셈 방법을 확장하여 이해하는 큰 수의 곱셈, 나눗셈
교과서에는 나오지 않는 실전적 연산을 포함
많이 틀리는 내용은 별도 집중학습

5학년 원리셈

연산은 개념과 유형에 따라 단계적으로 학습 후 충분한 연습
약수와 배수는 기본기를 단단하게 할 수 있는 체계적인 구성

6학년 원리셈

분수와 소수의 나눗셈은 원리를 단순화하여 이해
비의 개념을 확장하여 문장제 문제 등에서 만나는 비례 관계의 이해와 적용
비와 비례식은 중등 수학을 대비하는 의미도 포함. 강추 교재!!

3학년 구성과 특징

1권은 큰 수의 덧셈과 뺄셈을 2권~4권은 자리를 구분하여 곱셈과 나눗셈을 공부합니다. 5권은 곱셈과 나눗셈의 관계를 통해 검산과 모르는 수를 구하는 방법을 배웁니다. 6권의 분수는 학생들이 가장 어려움을 느끼는 부분을 집중 연습하도록 했습니다.

원리

수 모형, 동전 등을 이용하여 원리를 직관적으로 이해하고 쉽게 공부할 수 있도록 하였습니다.

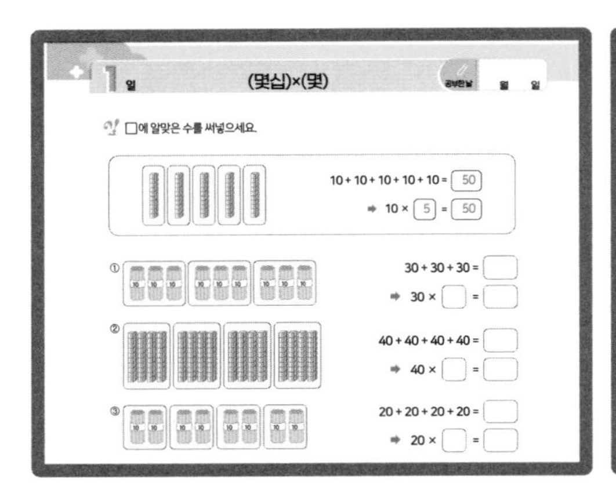

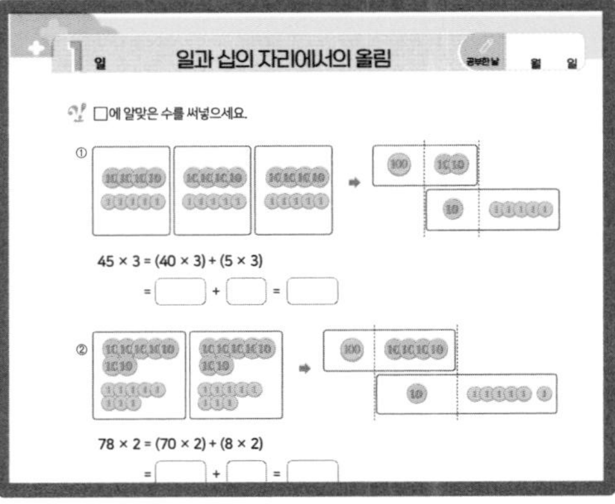

다양한 계산 방법

다양한 계산 방법을 공부함으로써 수를 다루는 감각을 키우고, 상황에 따라 더 정확하고 빠른 계산을 할 수 있도록 하였습니다.

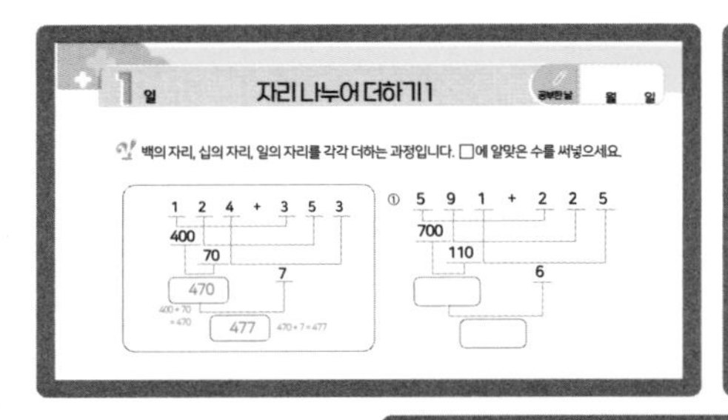

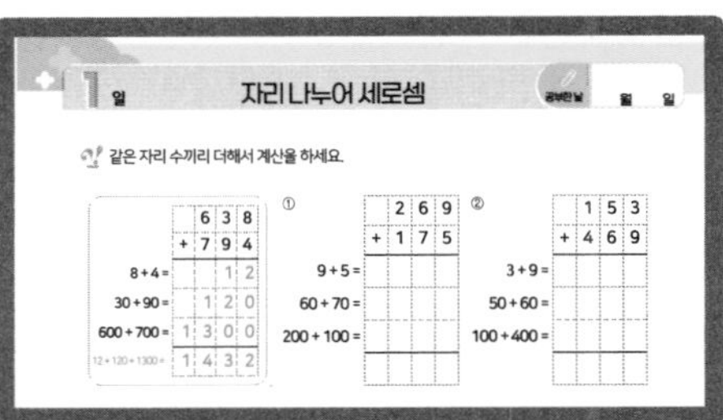

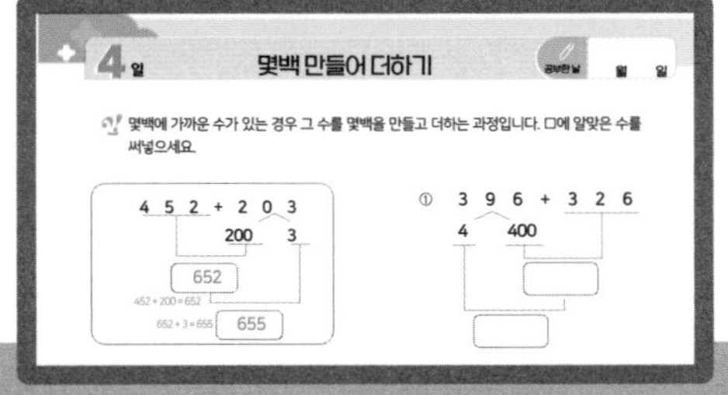

연습

기본 연습 문제를 중심으로 여러 형태의 문제로 지루하지 않게 반복하여 연습할 수 있도록 구성하였습니다.

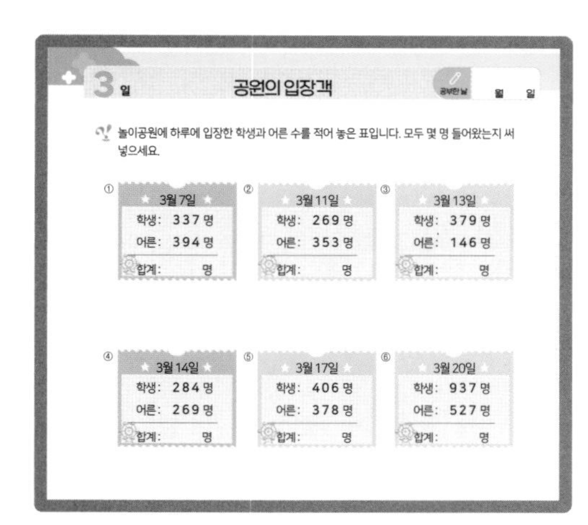

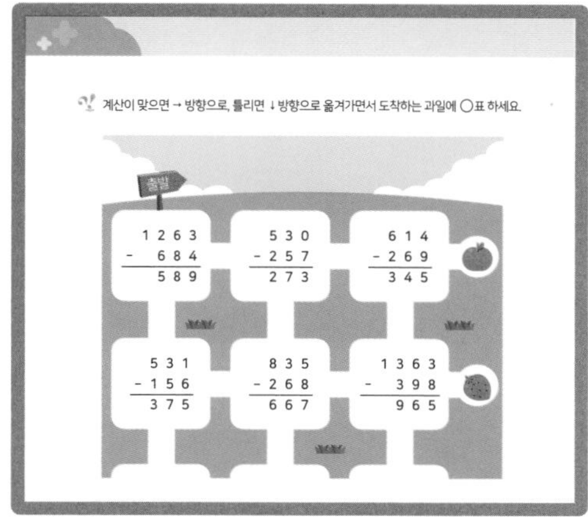

도전! 계산왕

주제가 구분되는 두 개의 단원은 정확성과 빠른 계산을 위한 집중 연습으로 주제를 마무리 합니다.

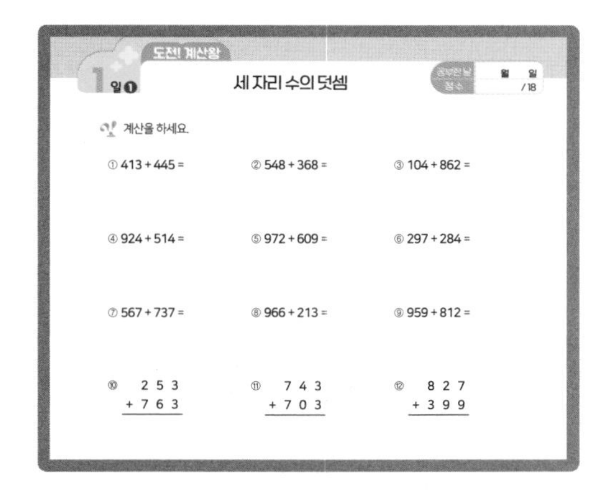

성취도 평가

개념의 이해와 연산의 수행에 부족한 부분은 없는지 성취도 평가를 통해 확인합니다.

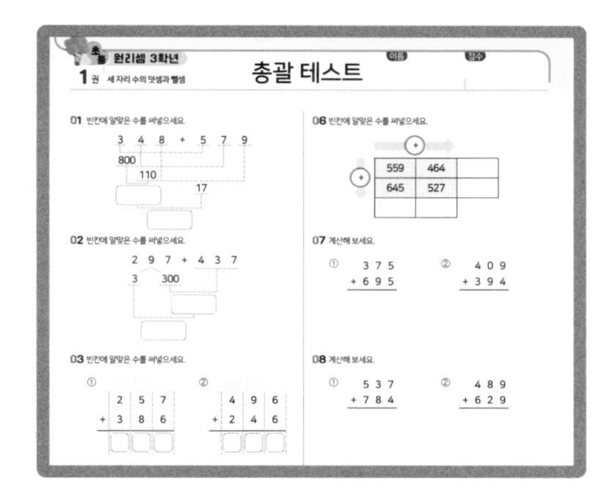

책의 사이사이에 학생의 학습을 돕기 위한 저자의 내용을 잘 이용하세요.

단원의 학습 내용과 방향

한 주차가 시작되는 쪽의 아래에 그 단원의 학습 내용과 어떤 방향으로 공부하는지를 설명해 놓았습니다.
학부모님이나 학생이 단원을 시작하기 전에 가볍게 읽어 보고 공부하도록 해 주세요.

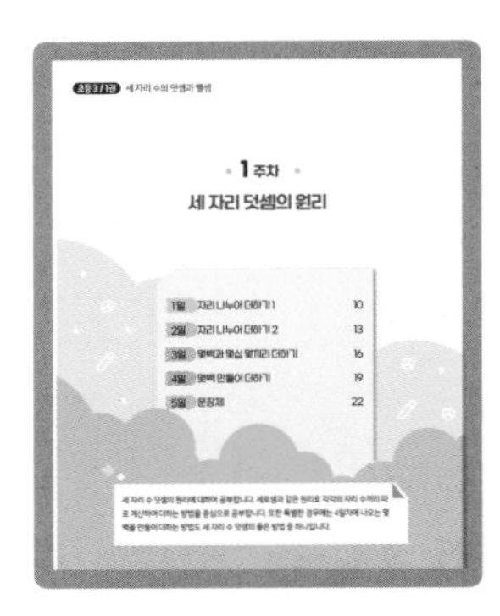

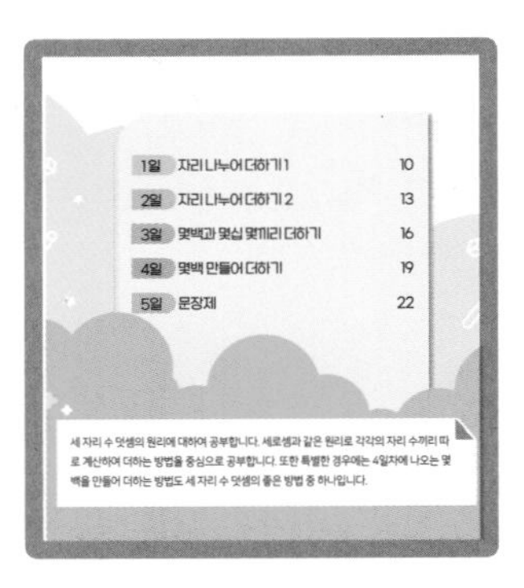

이해를 돕는 저자의 동영상 강의

처음 접하는 원리/개념과 연산 방법의 이해를 돕기 위한 동영상 강의가 있으니 이해가 어려운 내용은 QR코드를 이용하여 편리하게 동영상 강의를 보고, 공부하도록 하세요.

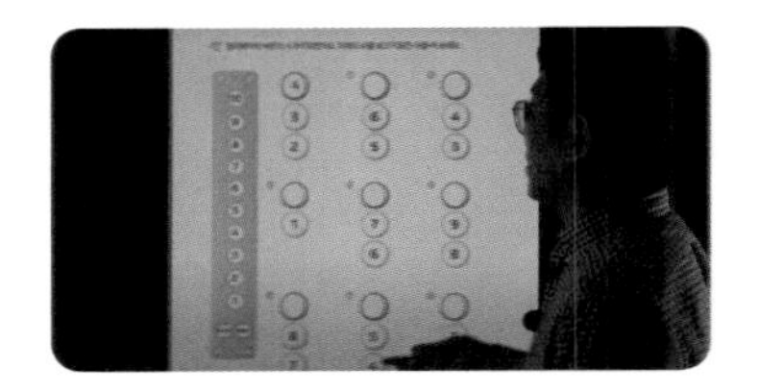

학습 Tip

간략한 도움글은 각 쪽의 아래에 있습니다.

천종현수학연구소 네이버 카페와 홈페이지를 활용하세요.

카페와 홈페이지에는 추가 문제 자료가 있고, 연산 외에서 수학 학습에 어려움을 상담 받을 수 있습니다.

네이버에서 천종현수학연구소를 검색하세요.

1주차

(두 자리 수)×(두 자리 수)

두 자리 수와 두 자리 수의 곱셈 방법을 공부합니다. 몇십과 몇십의 계산을 통하여 자연스럽게 두 자리 수끼리의 곱셈에서 자릿수에 대한 기본 개념을 익히고, 확장하여 세로셈으로 몇십몇과 몇십의 계산 방법을 알아봅니다.

(몇십)×(몇십)

□에 알맞은 수를 써넣으세요.

① 20 × 40

= 20 × 4 × 10

= □ × 10

= □

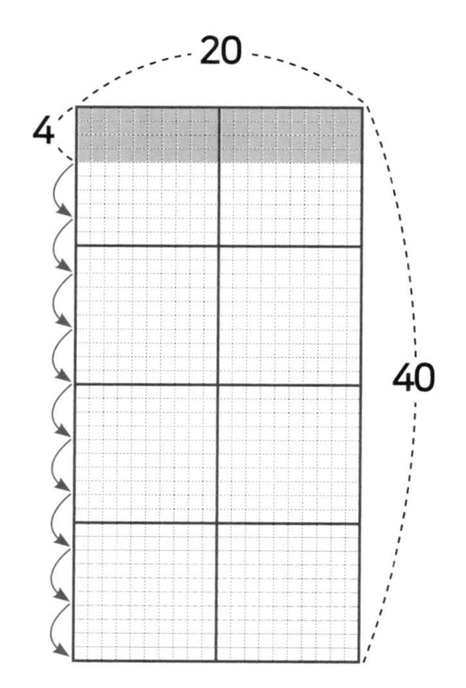

② 40 × 30

= 40 × 3 × 10

= □ × 10

= □

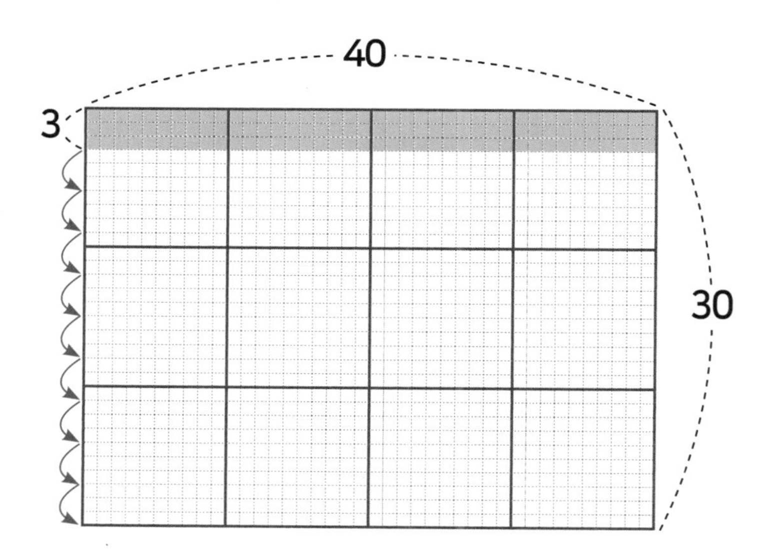

Tip

(몇십)×(몇십)은 몇십에 몇을 곱한 값의 10배가 됩니다.

□에 알맞은 수를 써넣으세요.

$60 \times 40 = 60 \times 4 \times 10$

4×10 $= 240 \times 10$

$= 2400$

① $30 \times 60 = 30 \times 6 \times 10$

$= \square \times 10$

$= \square$

② $70 \times 80 = 70 \times 8 \times 10$

$= \square \times 10$

$= \square$

③ $50 \times 80 = 50 \times 8 \times 10$

$= \square \times 10$

$= \square$

④ $20 \times 70 = 20 \times 7 \times 10$

$= \square \times 10$

$= \square$

⑤ $90 \times 60 = 90 \times 6 \times 10$

$= \square \times 10$

$= \square$

⑥ $50 \times 60 = 50 \times 6 \times 10$

$= \square \times 10$

$= \square$

⑦ $80 \times 90 = 80 \times 9 \times 10$

$= \square \times 10$

$= \square$

계산을 하세요.

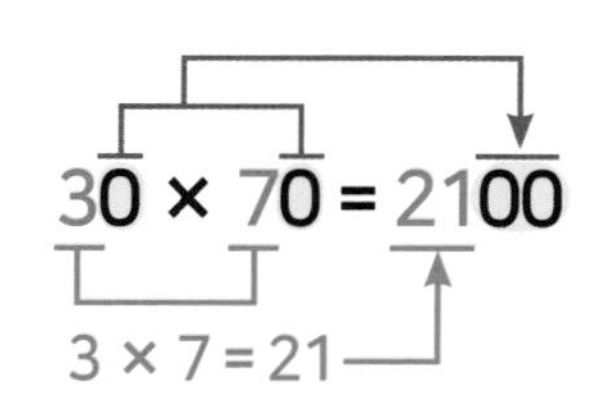

(몇십)×(몇십)은 (몇)×(몇)의 값에 0을 2개 붙입니다.

① 70 × 80 =

② 50 × 50 =

③ 50 × 30 =

④ 70 × 30 =

⑤ 60 × 80 =

⑥ 80 × 30 =

⑦ 40 × 30 =

⑧ 40 × 60 =

⑨ 80 × 40 =

⑩ 60 × 60 =

⑪ 90 × 90 =

⑫ 50 × 90 =

⑬ 20 × 70 =

⑭ 50 × 60 =

(몇십)×(몇십) 세로셈

월 일

□에 알맞은 수를 써넣으세요.

		5	0
	×	7	0
		0	0

→

		5	0
	×	7	0
3	5	0	0

세로셈으로 계산할 때 자릿수를 실수하지 않으려면 먼저 일의 자리부터 0을 2개 쓰고 십의 자리 숫자끼리 곱한 값을 씁니다.

①

		3	0
	×	6	0
□	□	□	□

②

		5	0
	×	9	0
□	□	□	□

③

		4	0
	×	7	0
□	□	□	□

④

		7	0
	×	7	0
□	□	□	□

⑤

		5	0
	×	4	0
□	□	□	□

⑥

		6	0
	×	8	0
□	□	□	□

⑦

		9	0
	×	8	0
□	□	□	□

⑧

		3	0
	×	7	0
□	□	□	□

⑨

		6	0
	×	4	0
□	□	□	□

Tip

(몇십)×(몇십)은 보통 가로셈으로 계산하지만 세로셈을 하면서 자릿수에 대한 기본 개념을 잡을 수 있습니다.

□에 알맞은 수를 써넣으세요.

① $40 \times 70 = \square\square\square\square$

② $80 \times 90 = \square\square\square\square$

③ $50 \times 30 = \square\square\square\square$

④ $60 \times 20 = \square\square\square\square$

⑤ $70 \times 80 = \square\square\square\square$

⑥ $30 \times 90 = \square\square\square\square$

⑦ $80 \times 40 = \square\square\square\square$

⑧ $90 \times 90 = \square\square\square\square$

⑨ $20 \times 50 = \square\square\square\square$

⑩ $90 \times 60 = \square\square\square\square$

⑪ $60 \times 40 = \square\square\square\square$

⑫ $70 \times 30 = \square\square\square\square$

세로셈으로 계산하세요.

① $\begin{array}{r} 40 \\ \times\ 30 \\ \hline \end{array}$

② $\begin{array}{r} 70 \\ \times\ 20 \\ \hline \end{array}$

③ $\begin{array}{r} 80 \\ \times\ 50 \\ \hline \end{array}$

④ $\begin{array}{r} 80 \\ \times\ 80 \\ \hline \end{array}$

⑤ $\begin{array}{r} 30 \\ \times\ 60 \\ \hline \end{array}$

⑥ $\begin{array}{r} 20 \\ \times\ 40 \\ \hline \end{array}$

⑦ $\begin{array}{r} 50 \\ \times\ 70 \\ \hline \end{array}$

⑧ $\begin{array}{r} 60 \\ \times\ 80 \\ \hline \end{array}$

⑨ $\begin{array}{r} 50 \\ \times\ 50 \\ \hline \end{array}$

⑩ $\begin{array}{r} 40 \\ \times\ 90 \\ \hline \end{array}$

⑪ $\begin{array}{r} 60 \\ \times\ 20 \\ \hline \end{array}$

⑫ $\begin{array}{r} 80 \\ \times\ 30 \\ \hline \end{array}$

(몇십몇)×(몇십)

□에 알맞은 수를 써넣으세요.

① 34 × 30

= 34 × 3 × 10

= □ × 10

= □

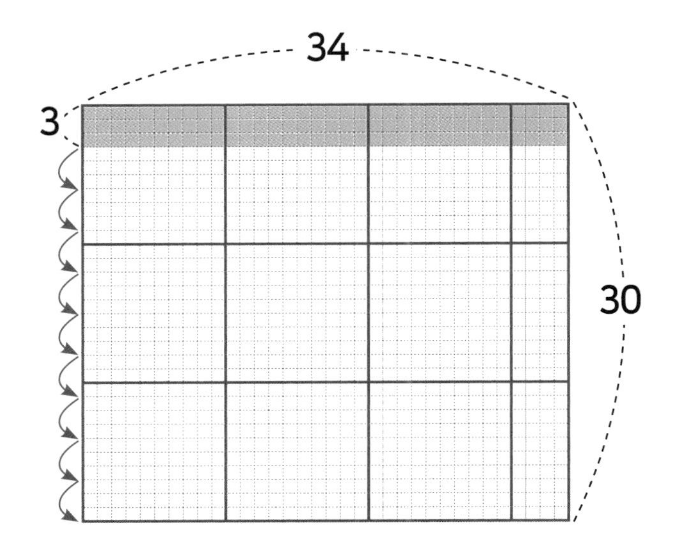

② 28 × 40

= 28 × 4 × 10

= □ × 10

= □

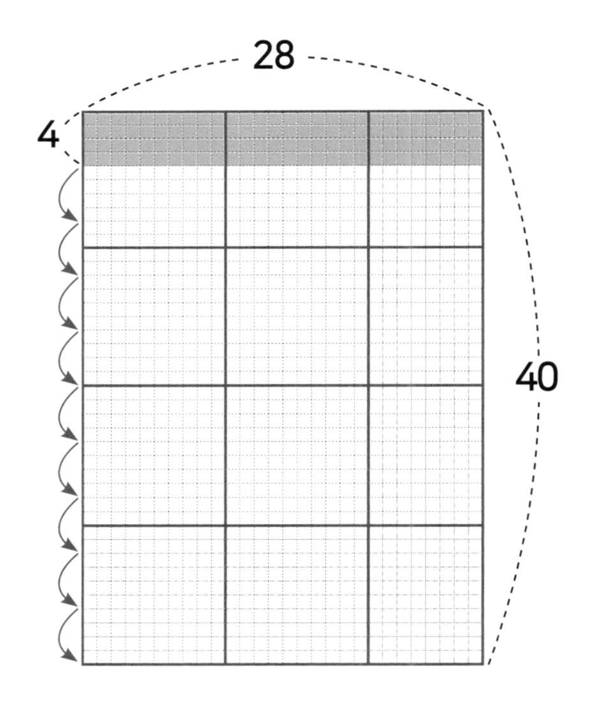

Tip

(몇십몇)×(몇십)은 몇십몇에 몇을 곱한 값의 10배가 됩니다.

□에 알맞은 수를 써넣으세요.

$37 \times 60 = 37 \times 6 \times 10$

$= 222 \times 10$ (6 × 10)

$= 2220$

① $24 \times 80 = 24 \times 8 \times 10$

$= \square \times 10$

$= \square$

② $35 \times 90 = 35 \times 9 \times 10$

$= \square \times 10$

$= \square$

③ $16 \times 50 = 16 \times 5 \times 10$

$= \square \times 10$

$= \square$

④ $63 \times 70 = 63 \times 7 \times 10$

$= \square \times 10$

$= \square$

⑤ $45 \times 30 = 45 \times 3 \times 10$

$= \square \times 10$

$= \square$

⑥ $29 \times 60 = 29 \times 6 \times 10$

$= \square \times 10$

$= \square$

⑦ $26 \times 60 = 26 \times 6 \times 10$

$= \square \times 10$

$= \square$

계산을 하세요.

$54 \times 60 = 3240$

$54 \times 6 = 324$

54 × 60은 54 × 6 = 324에 0을 1개 붙입니다.

① $26 \times 30 =$

② $48 \times 20 =$

③ $39 \times 60 =$

④ $56 \times 30 =$

⑤ $74 \times 10 =$

⑥ $68 \times 40 =$

⑦ $19 \times 70 =$

⑧ $32 \times 20 =$

⑨ $55 \times 90 =$

⑩ $44 \times 50 =$

⑪ $83 \times 80 =$

⑫ $18 \times 60 =$

⑬ $25 \times 40 =$

⑭ $47 \times 30 =$

(몇십몇)×(몇십) 세로셈

□에 알맞은 수를 써넣으세요.

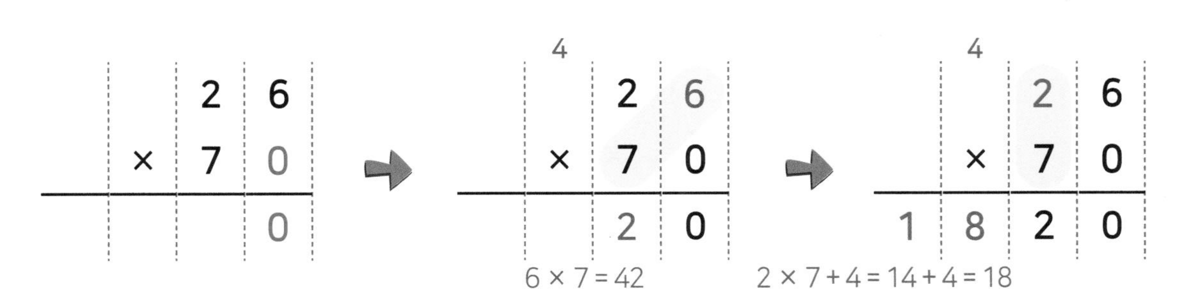

곱하는 수가 몇십일 때 먼저 일의 자리에 0을 씁니다.

26 × 7의 계산에서 6 × 7 = 42의 2는 십의 자리에 쓰고 4는 백의 자리로 올림합니다.

2 × 7 = 14에 올림한 4를 더하면 18이 되고 8은 백의 자리에, 1은 천의 자리에 씁니다.

①
$$\begin{array}{r} 37 \\ \times\ 60 \\ \hline \square\square\square\square \end{array}$$

②
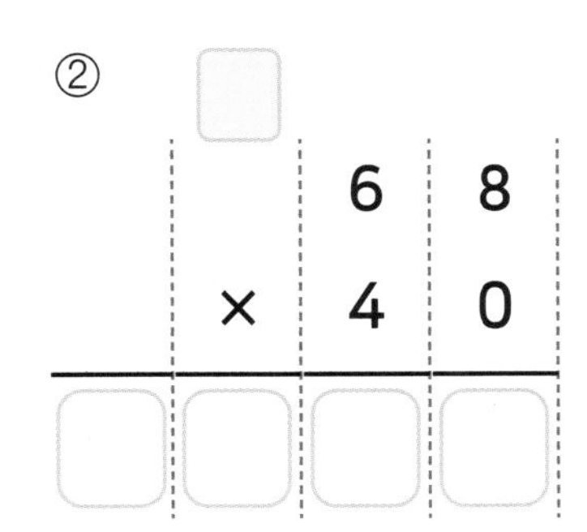

③
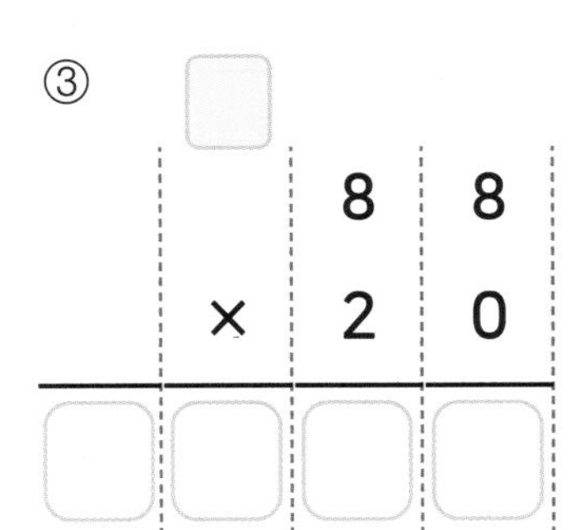

④
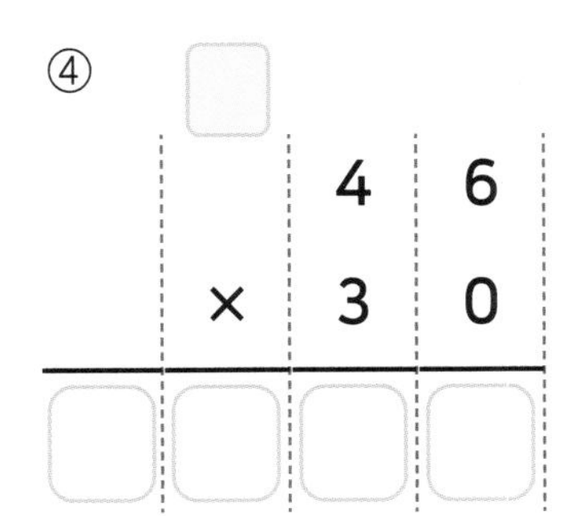

⑤
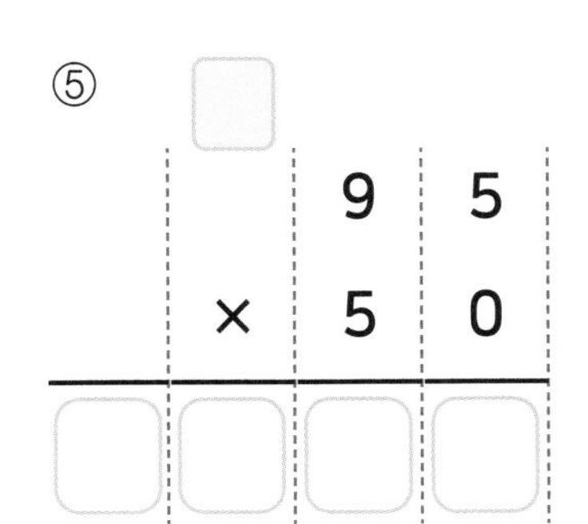

⑥
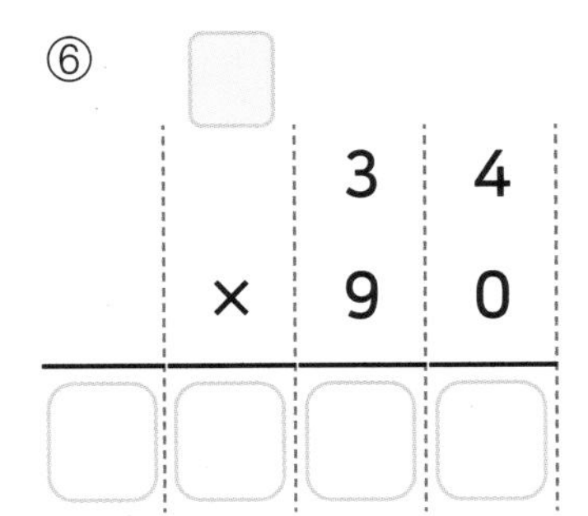

□에 알맞은 수를 써넣으세요.

① $47 \times 40 = \square\square\square 0$

② $36 \times 50 = \square\square\square\square$

③ $78 \times 60 = \square\square\square\square$

④ $96 \times 20 = \square\square\square\square$

⑤ $34 \times 70 = \square\square\square\square$

⑥ $86 \times 80 = \square\square\square\square$

⑦ $37 \times 40 = \square\square\square\square$

⑧ $29 \times 60 = \square\square\square\square$

⑨ $55 \times 40 = \square\square\square\square$

⑩ $63 \times 50 = \square\square\square\square$

⑪ $46 \times 60 = \square\square\square\square$

⑫ $77 \times 90 = \square\square\square\square$

세로셈으로 계산하세요.

① $\begin{array}{r} 56 \\ \times\ 30 \\ \hline \end{array}$

② $\begin{array}{r} 47 \\ \times\ 60 \\ \hline \end{array}$

③ $\begin{array}{r} 79 \\ \times\ 30 \\ \hline \end{array}$

④ $\begin{array}{r} 55 \\ \times\ 80 \\ \hline \end{array}$

⑤ $\begin{array}{r} 57 \\ \times\ 90 \\ \hline \end{array}$

⑥ $\begin{array}{r} 63 \\ \times\ 40 \\ \hline \end{array}$

⑦ $\begin{array}{r} 27 \\ \times\ 30 \\ \hline \end{array}$

⑧ $\begin{array}{r} 18 \\ \times\ 50 \\ \hline \end{array}$

⑨ $\begin{array}{r} 88 \\ \times\ 90 \\ \hline \end{array}$

⑩ $\begin{array}{r} 49 \\ \times\ 40 \\ \hline \end{array}$

⑪ $\begin{array}{r} 57 \\ \times\ 70 \\ \hline \end{array}$

⑫ $\begin{array}{r} 83 \\ \times\ 40 \\ \hline \end{array}$

연산 퍼즐

빈 곳에 알맞은 수를 써넣으세요.

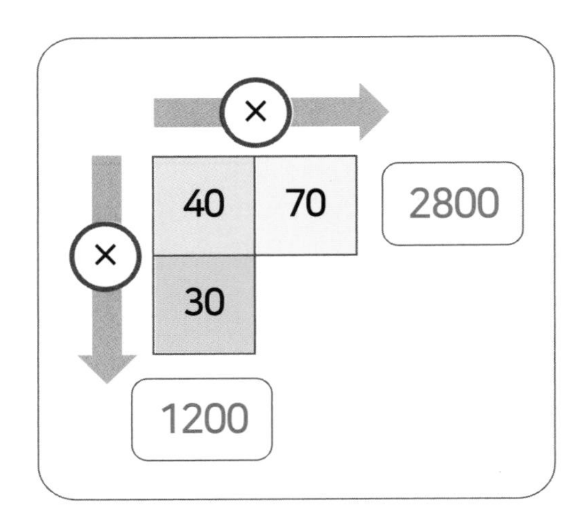

①

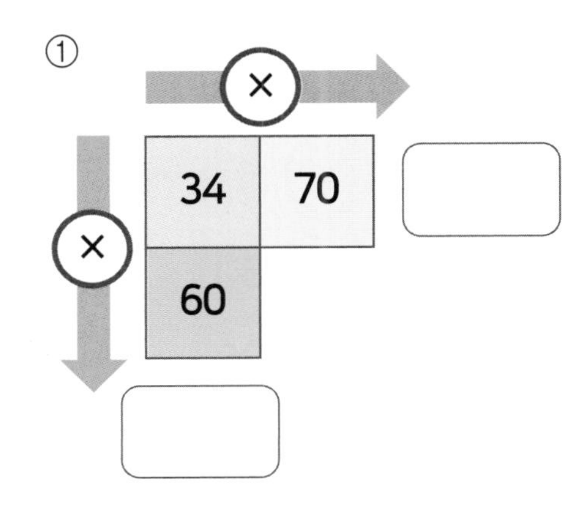

②

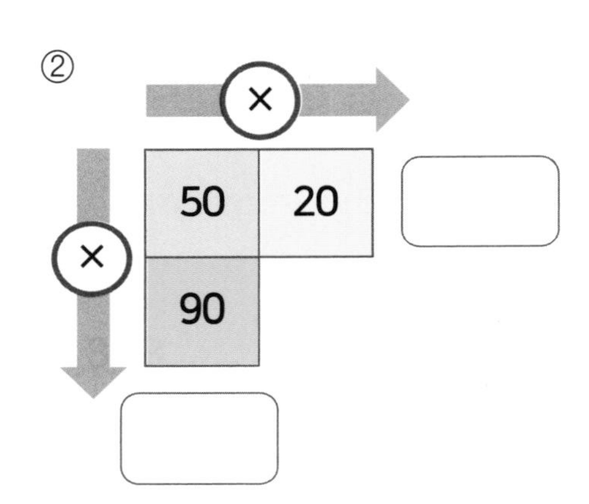

③

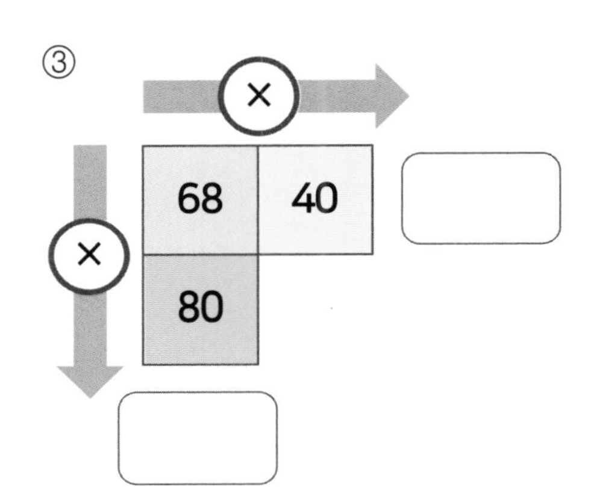

④

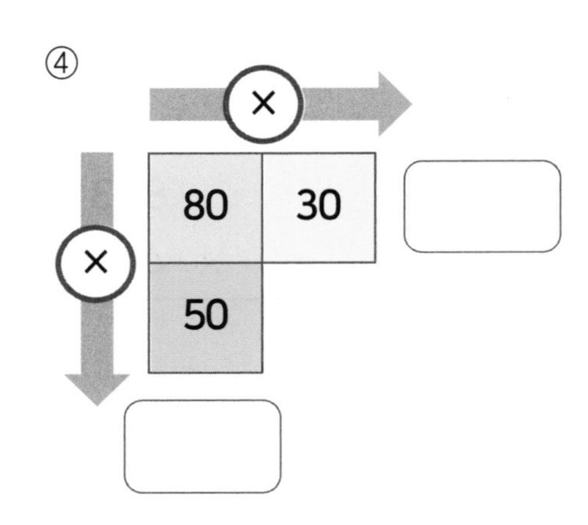

⑤

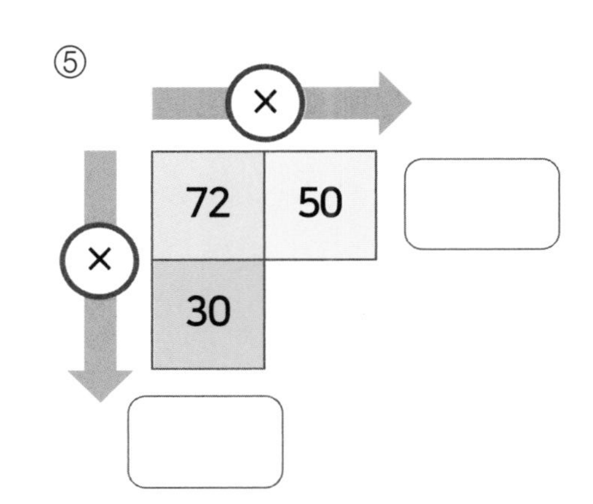

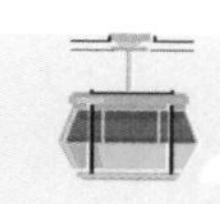

빈 곳에 알맞은 수를 써넣으세요.

64	50	
70	30	

48	30	
90	20	

16	50	
40	50	

21	60	
80	30	

78	70	
20	40	

56	40	
90	60	

같은 줄에서 계산 결과가 다른 하나에 ◯표 하세요.

$\begin{array}{r} 36 \\ \times\ 50 \\ \hline \end{array}$	60×30	45×40	$\begin{array}{r} 35 \\ \times\ 60 \\ \hline \end{array}$

45×50	$\begin{array}{r} 48 \\ \times\ 50 \\ \hline \end{array}$	$\begin{array}{r} 30 \\ \times\ 80 \\ \hline \end{array}$	60×40

15×40	$\begin{array}{r} 14 \\ \times\ 50 \\ \hline \end{array}$	30×20	$\begin{array}{r} 12 \\ \times\ 50 \\ \hline \end{array}$

$\begin{array}{r} 75 \\ \times\ 20 \\ \hline \end{array}$	$\begin{array}{r} 25 \\ \times\ 60 \\ \hline \end{array}$	30×50	46×30

2주차

바꾸어 곱하기

(몇십몇)×(몇), (몇십몇)×(몇십)을 (몇)×(몇십몇), (몇십)×(몇십몇)으로 바꾸어 곱할 수 있습니다. 바꾸어 곱하기를 통해 곱셈의 원리를 더 깊이 있게 이해하고, 상황에 따라 더 편리한 방법을 사용할 수 있습니다. 자릿수를 실수하지 않도록 집중해서 연습을 하도록 합니다.

(몇)×(몇십몇)

□에 알맞은 수를 써넣으세요.

① 9×27

$= 9 \times 20 + 9 \times 7$

$= \square + \square$

$= \square$

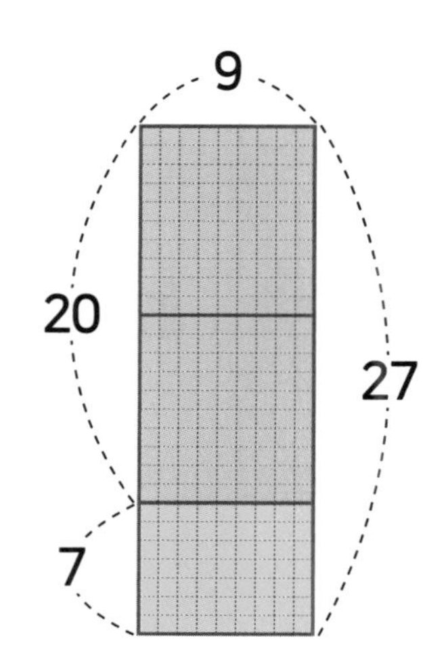

② 6×35

$= 6 \times 30 + 6 \times 5$

$= \square + \square$

$= \square$

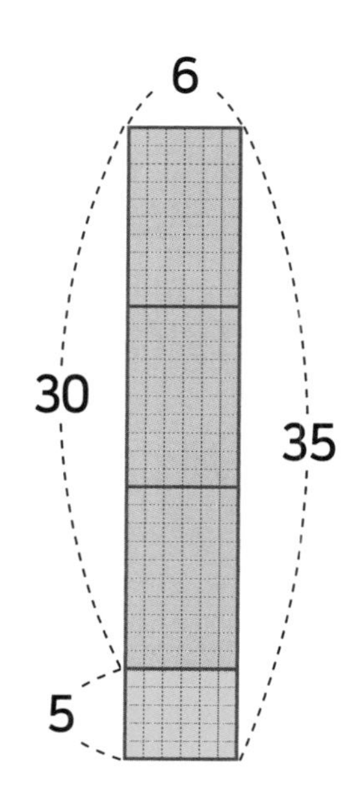

□에 알맞은 수를 써넣으세요.

$7 \times 42 = 7 \times 40 + 7 \times 2$

40 + 2

$= 280 + 14$

$= 294$

① $8 \times 53 = 8 \times 50 + 8 \times 3$

$= \square + \square$

$= \square$

② $6 \times 48 = 6 \times 40 + 6 \times 8$

$= \square + \square$

$= \square$

③ $5 \times 27 = 5 \times 20 + 5 \times 7$

$= \square + \square$

$= \square$

④ $9 \times 36 = 9 \times 30 + 9 \times 6$

$= \square + \square$

$= \square$

⑤ $7 \times 89 = 7 \times 80 + 7 \times 9$

$= \square + \square$

$= \square$

⑥ $4 \times 97 = 4 \times 90 + 4 \times 7$

$= \square + \square$

$= \square$

⑦ $8 \times 74 = 8 \times 70 + 8 \times 4$

$= \square + \square$

$= \square$

계산을 하세요.

$4 \times 70 = 280$
$4 \times 3 = 12$
$4 \times 73 = 292$

$73 = 70 + 3$

73 = 70 + 3이므로 4 × 73은 4 × 70과 4 × 3의 합과 같습니다.

① $5 \times 65 =$ (300, 25)

② $3 \times 72 =$

③ $4 \times 34 =$

④ $6 \times 85 =$

⑤ $7 \times 53 =$

⑥ $9 \times 26 =$

⑦ $8 \times 49 =$

⑧ $5 \times 78 =$

⑨ $9 \times 82 =$

⑩ $7 \times 97 =$

⑪ $6 \times 58 =$

⑫ $4 \times 29 =$

(몇)×(몇십몇) 세로셈

□에 알맞은 수를 써넣으세요.

	2	
		9
×	7	3
		7

9 × 3 = 27의 7은 일의 자리에 쓰고 2는 십의 자리로 올림합니다.

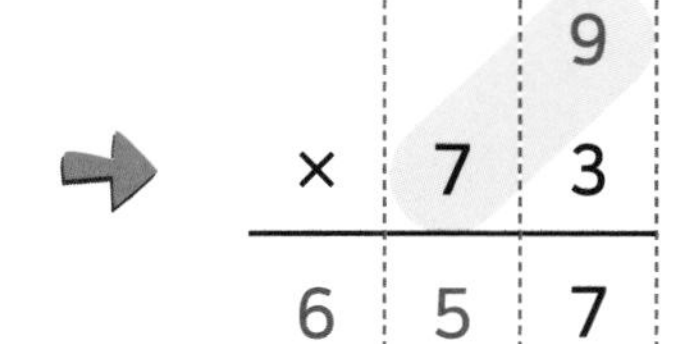

9 × 7 = 63에 올림한 2를 더하면 65가 되고 5는 십의 자리에, 6은 백의 자리에 씁니다.

①
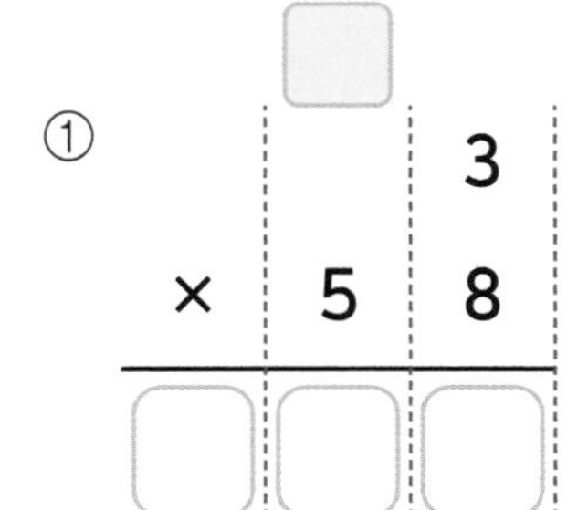

②

	□	
		7
×	4	6
□	□	□

③
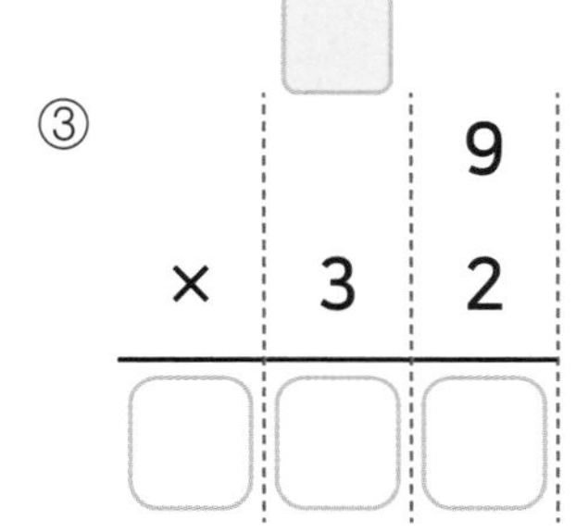

④
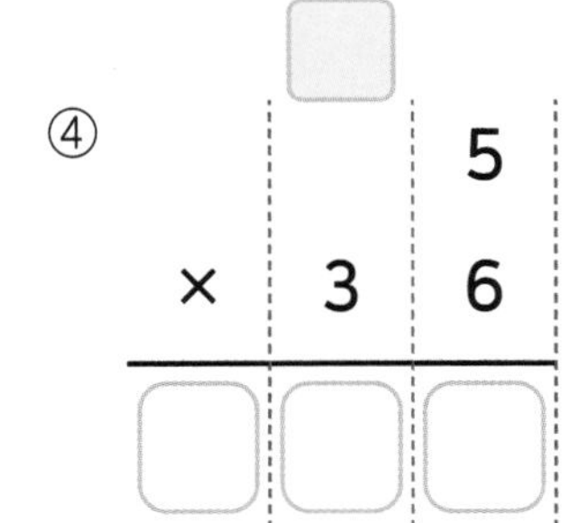

⑤

	□	
		4
×	6	9
□	□	□

⑥

	□	
		6
×	4	5
□	□	□

⑦
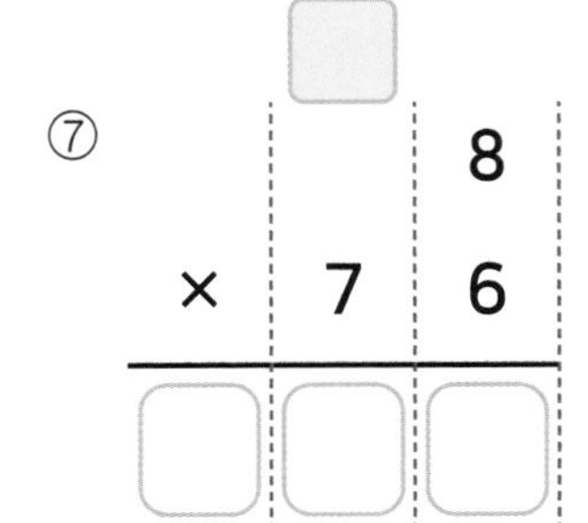

⑧
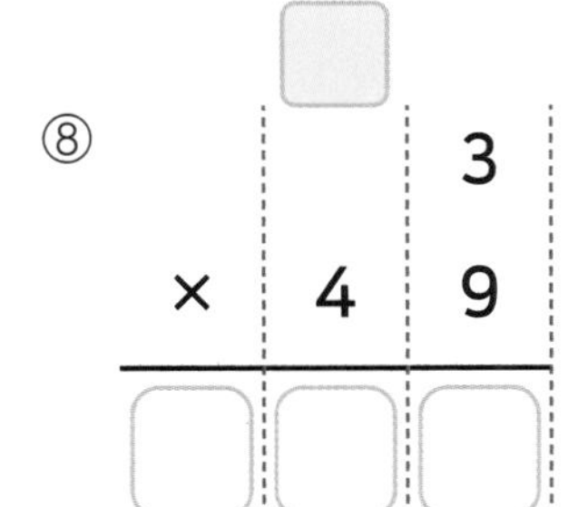

⑨

	□	
		6
×	8	7
□	□	□

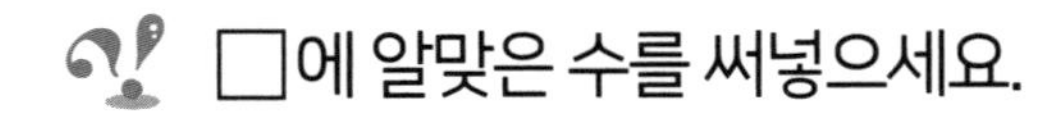

□에 알맞은 수를 써넣으세요.

① 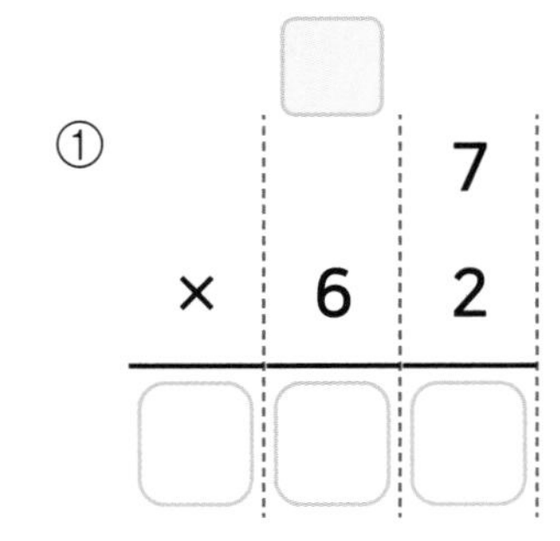

② 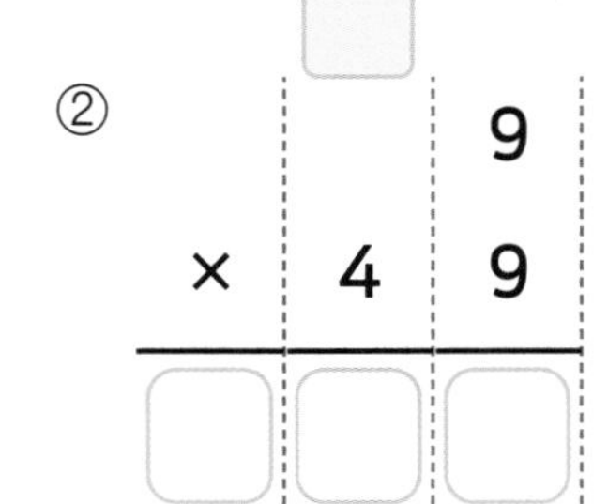

③ 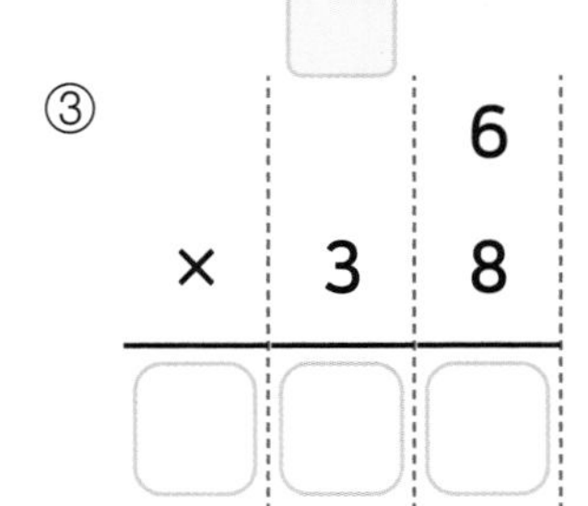

④
$$\begin{array}{r} 5 \\ \times\ 3\ 7 \\ \hline \square\square\square \end{array}$$

⑤ 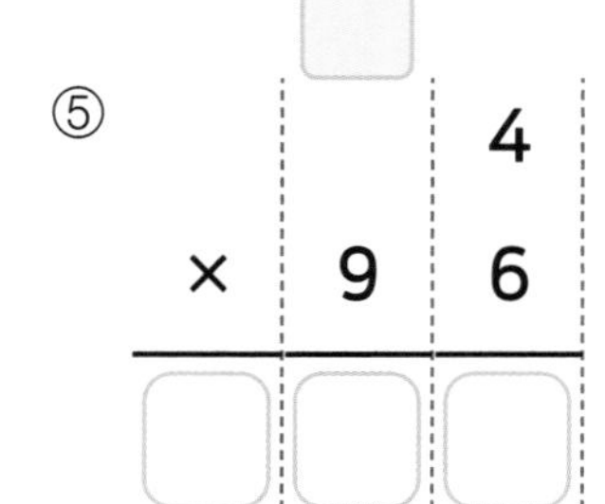

⑥ 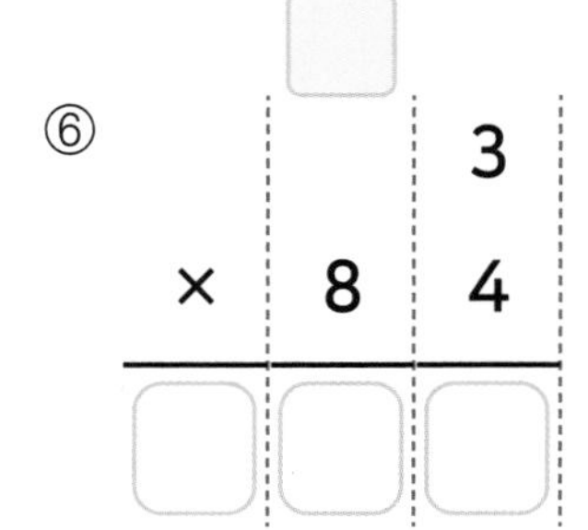

⑦
$$\begin{array}{r} 8 \\ \times\ 5\ 3 \\ \hline \square\square\square \end{array}$$

⑧
$$\begin{array}{r} 6 \\ \times\ 7\ 6 \\ \hline \square\square\square \end{array}$$

⑨
$$\begin{array}{r} 7 \\ \times\ 3\ 9 \\ \hline \square\square\square \end{array}$$

⑩
$$\begin{array}{r} 9 \\ \times\ 2\ 7 \\ \hline \square\square\square \end{array}$$

⑪
$$\begin{array}{r} 8 \\ \times\ 6\ 3 \\ \hline \square\square\square \end{array}$$

⑫
$$\begin{array}{r} 5 \\ \times\ 5\ 5 \\ \hline \square\square\square \end{array}$$

□에 알맞은 수를 쓰고 곱하는 순서를 바꾸어 계산을 하세요.

$$\begin{array}{r} 63 \\ \times \quad 4 \\ \hline \boxed{252} \end{array} \Rightarrow \begin{array}{r} 4 \\ \times \; 63 \\ \hline 252 \end{array}$$

$$\begin{array}{r} 9 \\ \times \; 49 \\ \hline \boxed{441} \end{array} \Rightarrow \begin{array}{r} 49 \\ \times \quad 9 \\ \hline 441 \end{array}$$

① $\begin{array}{r} 27 \\ \times \quad 8 \\ \hline \boxed{} \end{array} \Rightarrow$

② $\begin{array}{r} 9 \\ \times \; 18 \\ \hline \boxed{} \end{array} \Rightarrow$

③ $\begin{array}{r} 28 \\ \times \quad 2 \\ \hline \boxed{} \end{array} \Rightarrow$

④ $\begin{array}{r} 7 \\ \times \; 54 \\ \hline \boxed{} \end{array} \Rightarrow$

⑤ $\begin{array}{r} 35 \\ \times \quad 8 \\ \hline \boxed{} \end{array} \Rightarrow$

⑥ $\begin{array}{r} 5 \\ \times \; 87 \\ \hline \boxed{} \end{array} \Rightarrow$

Tip

곱셈에서 순서를 바꾸어도 계산 결과는 같으므로 세로셈의 계산 방법 중 더 편리한 방법으로 선택하여 계산할 수 있습니다.

□에 알맞은 수를 써넣으세요.

① 30 × 29

= 3 × 10 × 29

= 3 × 29 × 10

= □ × 10

= □

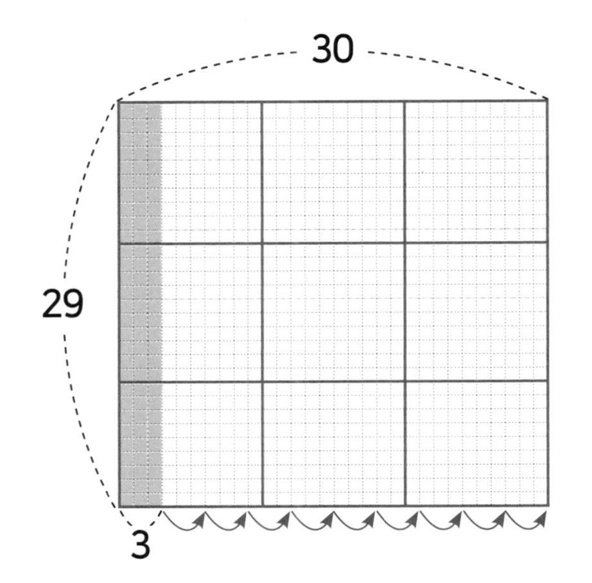

② 40 × 25

= 4 × 10 × 25

= 4 × 25 × 10

= □ × 10

= □

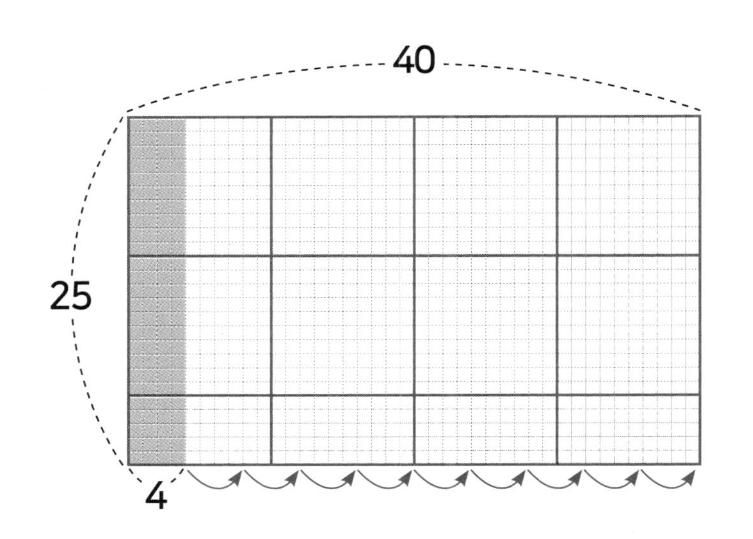

Tip
(몇십)×(몇십몇)은 몇에 몇십몇을 곱한 값의 10배가 됩니다.

□에 알맞은 수를 써넣으세요.

$70 \times 58 = 7 \times 10 \times 58$ (70 → 7×10)
$= 406 \times 10$
$= 4060$

① $50 \times 34 = 5 \times 10 \times 34$
$= \square \times 10$
$= \square$

② $30 \times 56 = 3 \times 10 \times 56$
$= \square \times 10$
$= \square$

③ $40 \times 82 = 4 \times 10 \times 82$
$= \square \times 10$
$= \square$

④ $90 \times 47 = 9 \times 10 \times 47$
$= \square \times 10$
$= \square$

⑤ $70 \times 68 = 7 \times 10 \times 68$
$= \square \times 10$
$= \square$

⑥ $80 \times 29 = 8 \times 10 \times 29$
$= \square \times 10$
$= \square$

⑦ $60 \times 77 = 6 \times 10 \times 77$
$= \square \times 10$
$= \square$

계산을 하세요.

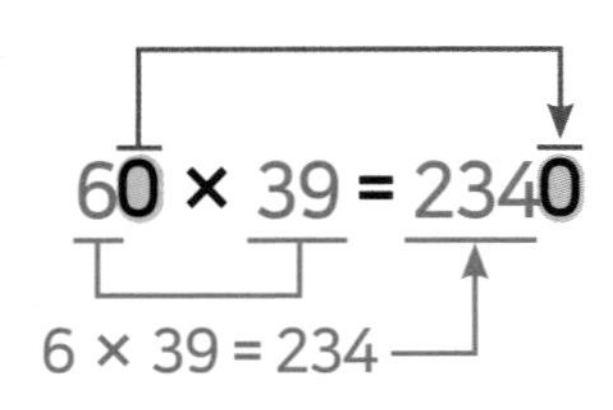

60 × 39는 6 × 39 = 234에 0을 1개 붙입니다.

① 40 × 78 =

② 30 × 29 =

③ 60 × 56 =

④ 80 × 83 =

⑤ 50 × 67 =

⑥ 70 × 38 =

⑦ 40 × 43 =

⑧ 20 × 85 =

⑨ 90 × 62 =

⑩ 60 × 77 =

⑪ 80 × 35 =

⑫ 70 × 58 =

⑬ 60 × 58 =

⑭ 50 × 49 =

(몇십)×(몇십몇) 세로셈

□에 알맞은 수를 써넣으세요.

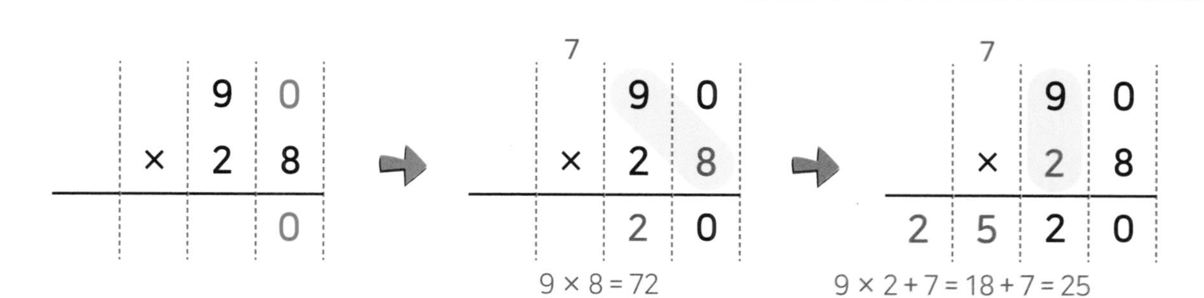

곱해지는 수가 몇십일 때 먼저 일의 자리에 0을 씁니다.

9 × 28의 계산에서 9 × 8 = 72의 2는 십의 자리에 쓰고 7은 백의 자리로 올림합니다.

9 × 2 = 18에 올림한 7을 더하면 25가 되고 5는 백의 자리에, 2는 천의 자리에 씁니다.

①
80 × 46

②
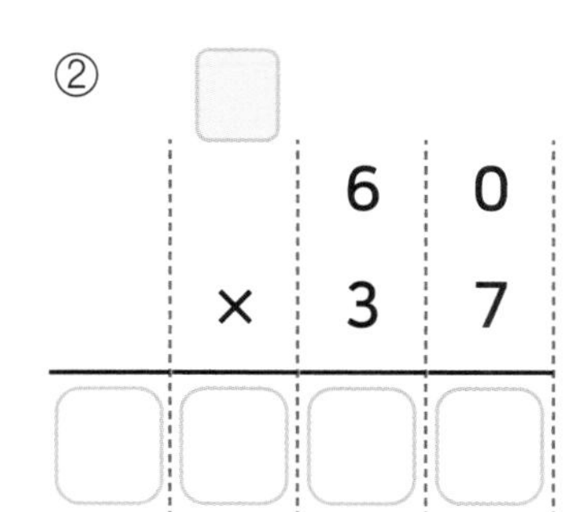

③
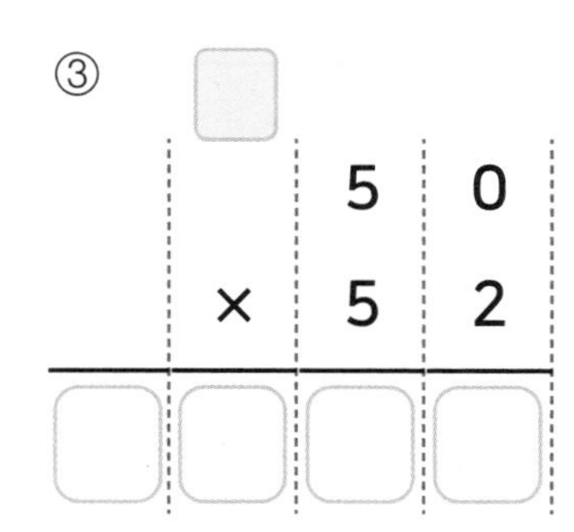

④
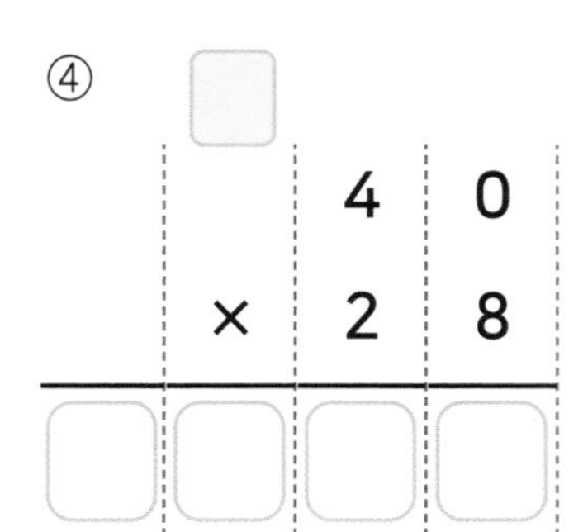

⑤
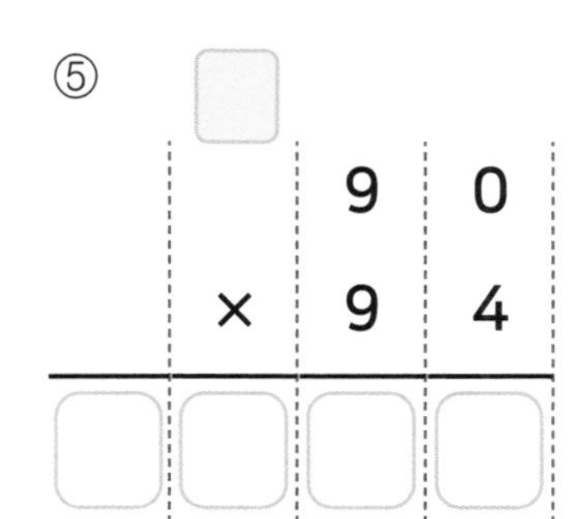

⑥
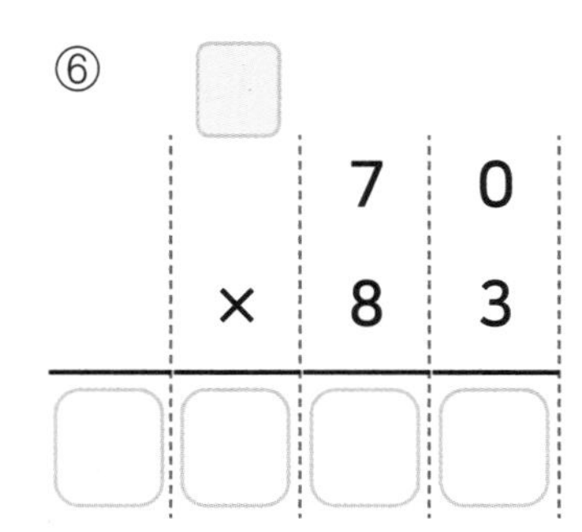

□에 알맞은 수를 써넣으세요.

① 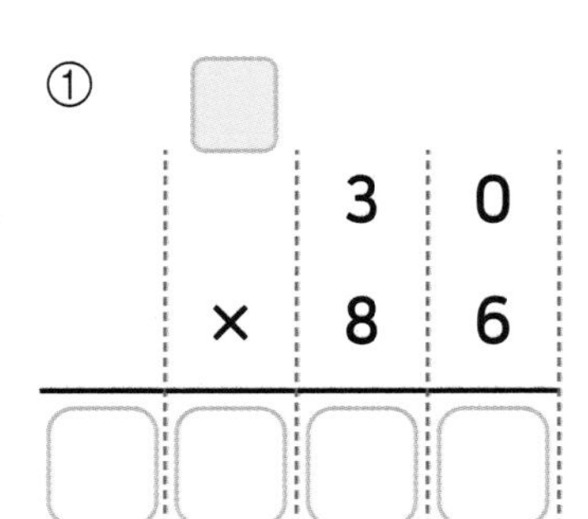

② 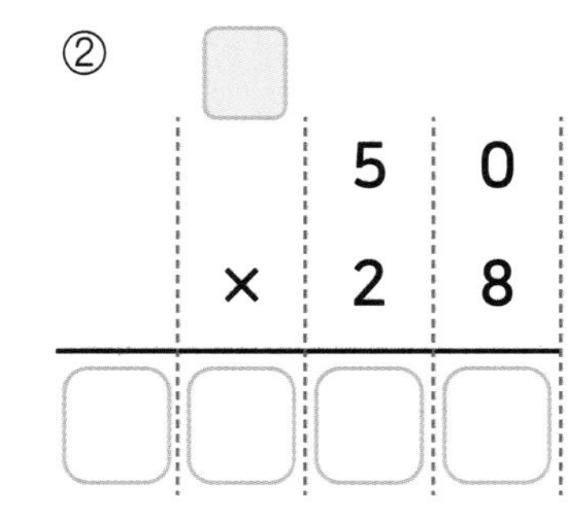

③ 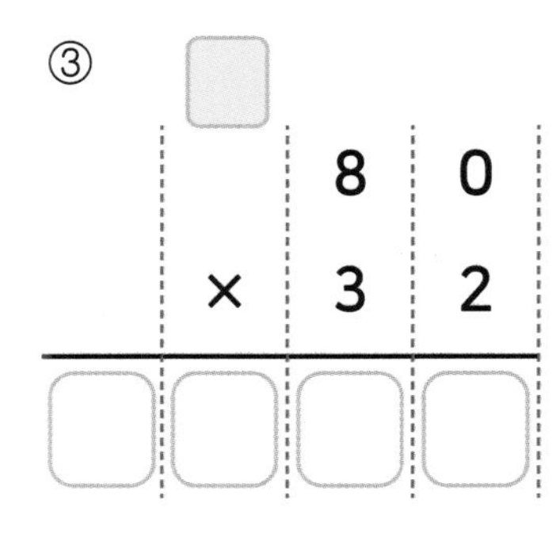

④ 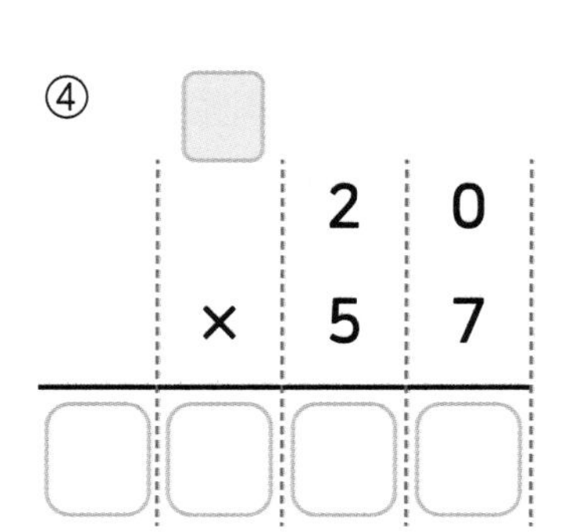

⑤ 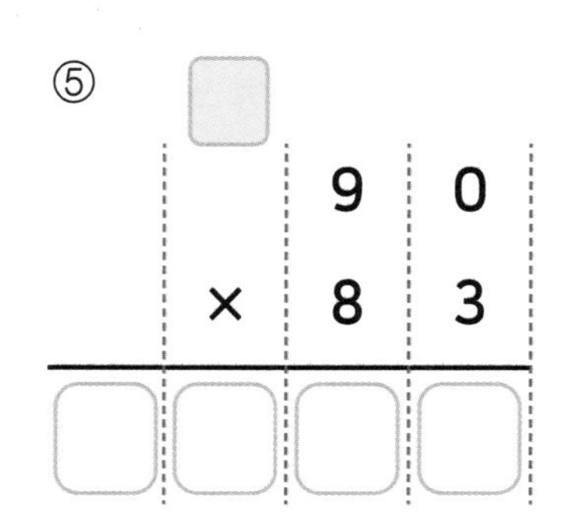

⑥ 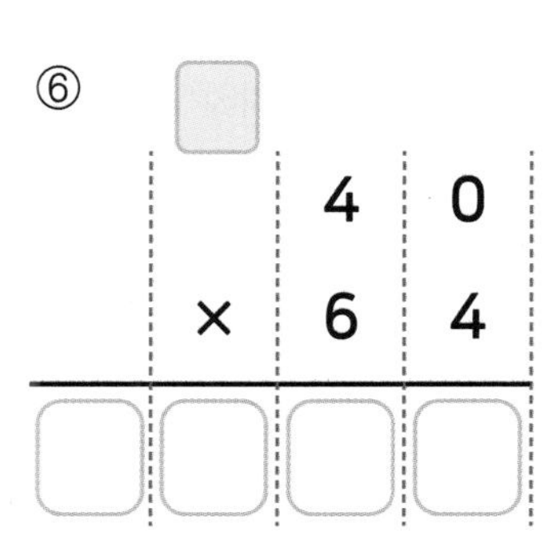

⑦ 50×39

⑧ 70×56

⑨ 60×48

⑩ 80×92

⑪ 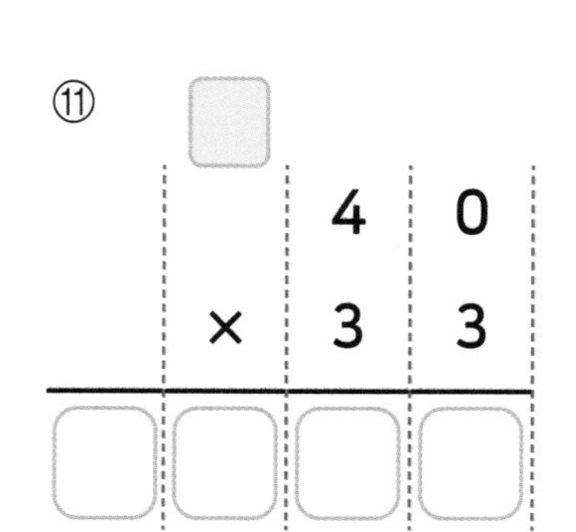

⑫ 30×85

□에 알맞은 수를 써넣으세요.

①
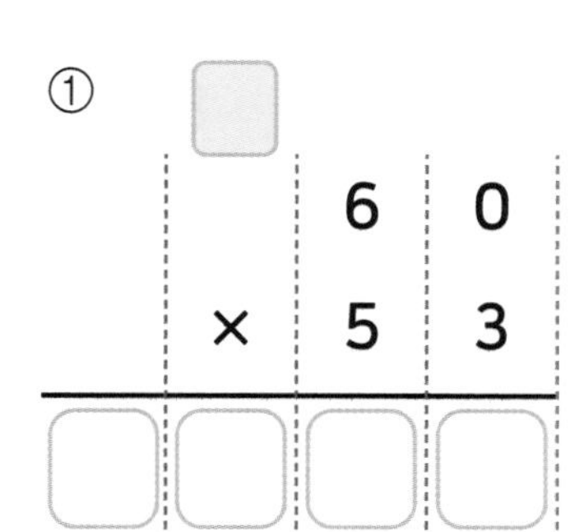

②
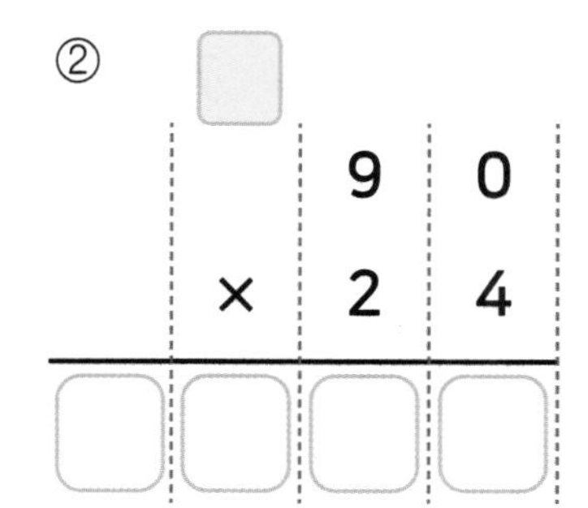

③
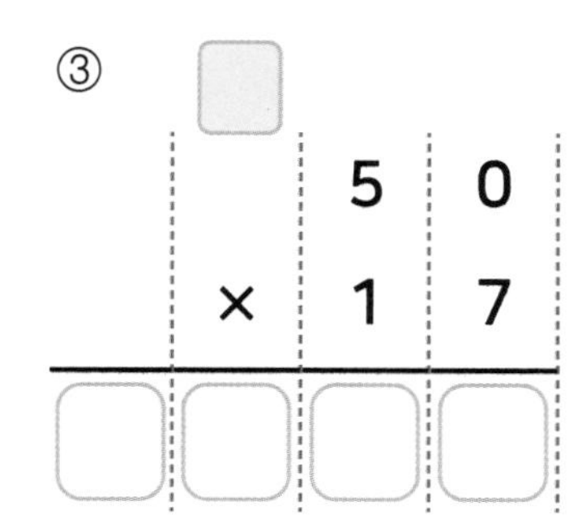

④
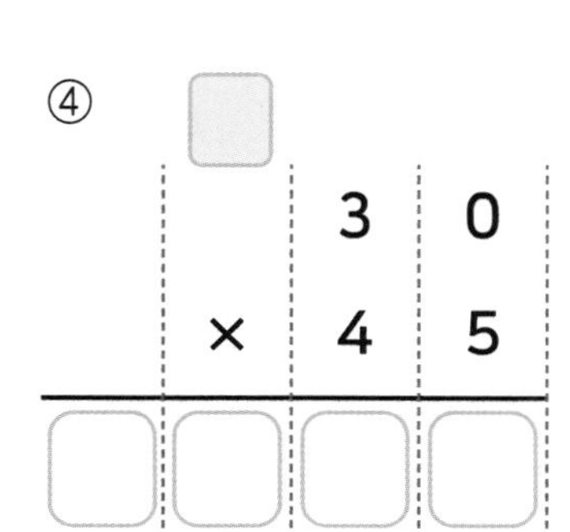

⑤
$$\begin{array}{r} 40 \\ \times\ 76 \\ \hline \square\square\square\square \end{array}$$

⑥
$$\begin{array}{r} 80 \\ \times\ 38 \\ \hline \square\square\square\square \end{array}$$

⑦
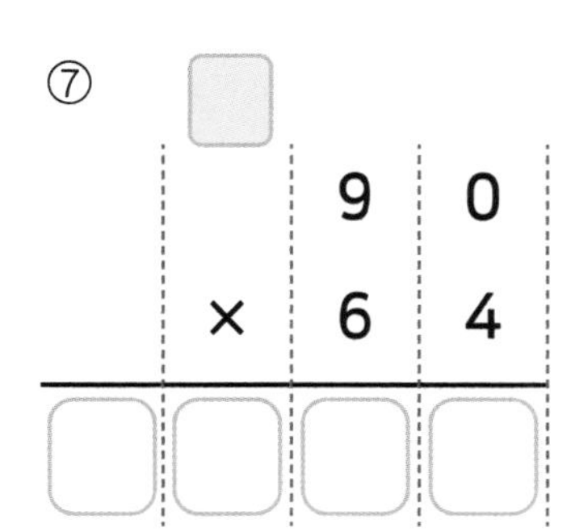

⑧
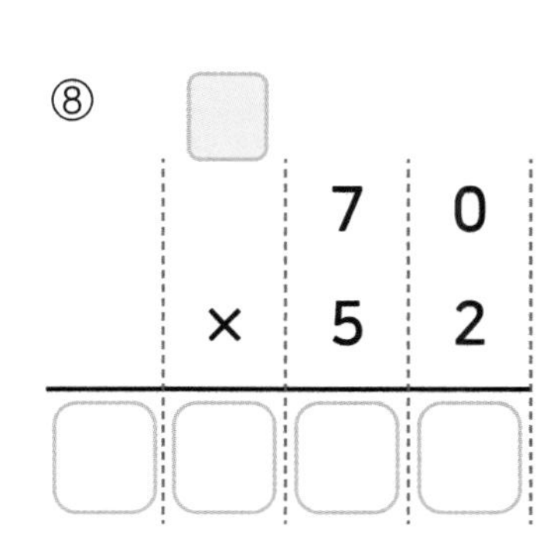

⑨
$$\begin{array}{r} 20 \\ \times\ 89 \\ \hline \square\square\square\square \end{array}$$

⑩
$$\begin{array}{r} 80 \\ \times\ 77 \\ \hline \square\square\square\square \end{array}$$

⑪
$$\begin{array}{r} 60 \\ \times\ 65 \\ \hline \square\square\square\square \end{array}$$

⑫
$$\begin{array}{r} 50 \\ \times\ 96 \\ \hline \square\square\square\square \end{array}$$

세로셈 연습

세로셈으로 계산하세요.

① $\begin{array}{r} 4 \\ \times\ 38 \\ \hline \end{array}$

② $\begin{array}{r} 7 \\ \times\ 89 \\ \hline \end{array}$

③ $\begin{array}{r} 8 \\ \times\ 19 \\ \hline \end{array}$

④ $\begin{array}{r} 6 \\ \times\ 64 \\ \hline \end{array}$

⑤ $\begin{array}{r} 3 \\ \times\ 35 \\ \hline \end{array}$

⑥ $\begin{array}{r} 4 \\ \times\ 33 \\ \hline \end{array}$

⑦ $\begin{array}{r} 9 \\ \times\ 75 \\ \hline \end{array}$

⑧ $\begin{array}{r} 7 \\ \times\ 93 \\ \hline \end{array}$

⑨ $\begin{array}{r} 3 \\ \times\ 84 \\ \hline \end{array}$

⑩ $\begin{array}{r} 6 \\ \times\ 55 \\ \hline \end{array}$

⑪ $\begin{array}{r} 4 \\ \times\ 29 \\ \hline \end{array}$

⑫ $\begin{array}{r} 6 \\ \times\ 78 \\ \hline \end{array}$

세로셈으로 계산하세요.

① $\begin{array}{r} 60 \\ \times\ 79 \\ \hline \end{array}$

② $\begin{array}{r} 40 \\ \times\ 27 \\ \hline \end{array}$

③ $\begin{array}{r} 90 \\ \times\ 33 \\ \hline \end{array}$

④ $\begin{array}{r} 50 \\ \times\ 46 \\ \hline \end{array}$

⑤ $\begin{array}{r} 70 \\ \times\ 58 \\ \hline \end{array}$

⑥ $\begin{array}{r} 30 \\ \times\ 47 \\ \hline \end{array}$

⑦ $\begin{array}{r} 20 \\ \times\ 68 \\ \hline \end{array}$

⑧ $\begin{array}{r} 80 \\ \times\ 83 \\ \hline \end{array}$

⑨ $\begin{array}{r} 70 \\ \times\ 22 \\ \hline \end{array}$

⑩ $\begin{array}{r} 30 \\ \times\ 59 \\ \hline \end{array}$

⑪ $\begin{array}{r} 60 \\ \times\ 37 \\ \hline \end{array}$

⑫ $\begin{array}{r} 50 \\ \times\ 65 \\ \hline \end{array}$

세로셈으로 계산하세요.

①
$$\begin{array}{r} 8 \\ \times\ 35 \\ \hline \end{array}$$

②
$$\begin{array}{r} 50 \\ \times\ 37 \\ \hline \end{array}$$

③
$$\begin{array}{r} 80 \\ \times\ 43 \\ \hline \end{array}$$

④
$$\begin{array}{r} 70 \\ \times\ 75 \\ \hline \end{array}$$

⑤
$$\begin{array}{r} 4 \\ \times\ 28 \\ \hline \end{array}$$

⑥
$$\begin{array}{r} 9 \\ \times\ 34 \\ \hline \end{array}$$

⑦
$$\begin{array}{r} 40 \\ \times\ 29 \\ \hline \end{array}$$

⑧
$$\begin{array}{r} 60 \\ \times\ 84 \\ \hline \end{array}$$

⑨
$$\begin{array}{r} 6 \\ \times\ 55 \\ \hline \end{array}$$

⑩
$$\begin{array}{r} 30 \\ \times\ 17 \\ \hline \end{array}$$

⑪
$$\begin{array}{r} 7 \\ \times\ 49 \\ \hline \end{array}$$

⑫
$$\begin{array}{r} 5 \\ \times\ 67 \\ \hline \end{array}$$

3주차

(몇십몇)×(몇십몇)

실질적인 두 자리 수끼리의 계산 원리를 익히고 세로셈으로 계산하는 방법을 공부합니다. 두 자리 수끼리의 곱셈 방법은 곱셈 단계에서 가장 중요하고 많이 사용되는 계산 과정이기 때문에 확실하게 계산 방법을 알고 넘어가도록 합니다.

빈 곳을 채우고 곱셈을 계산하세요.

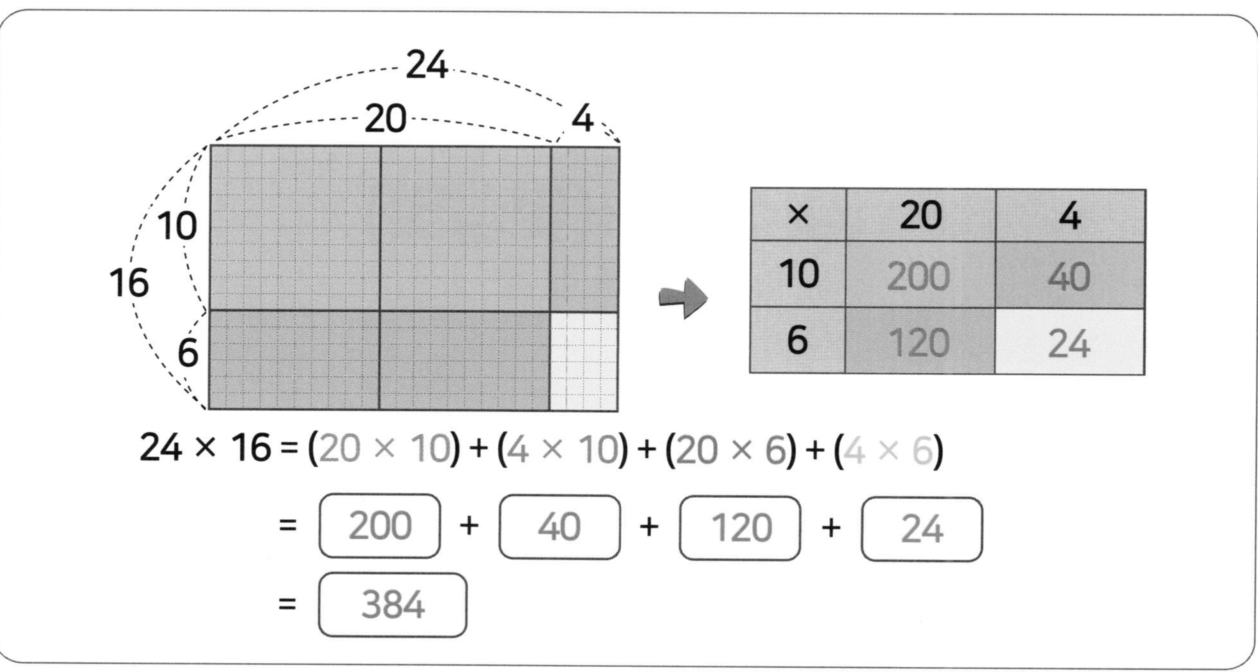

×	20	4
10	200	40
6	120	24

24 × 16 = (20 × 10) + (4 × 10) + (20 × 6) + (4 × 6)

= 200 + 40 + 120 + 24

= 384

①

×	30	9
50		
4		

39 × 54 =

②

×	10	7
60		
3		

17 × 63 =

③

×	40	3
40		
8		

43 × 48 =

④

×	20	6
50		
9		

26 × 59 =

□에 알맞은 수를 써넣으세요.

① 47×42 — $47 \times 40 = \square$, $47 \times 2 = \square$ — $\square$

② 38×25 — $38 \times 20 = \square$, $38 \times 5 = \square$ — $\square$

③ 63×56 — $63 \times 50 = \square$, $63 \times 6 = \square$ — $\square$

④ 29×17 — $29 \times 10 = \square$, $29 \times 7 = \square$ — $\square$

⑤ 83×26 — $83 \times 20 = \square$, $83 \times 6 = \square$ — $\square$

⑥ 53×34 — $53 \times 30 = \square$, $53 \times 4 = \square$ — $\square$

□에 알맞은 수를 써넣으세요.

① $25 \times 33 = \square + \square = \square$ (25 × 30, 25 × 3)

② $63 \times 27 = \square + \square = \square$

③ $48 \times 17 = \square + \square = \square$

④ $35 \times 62 = \square + \square = \square$

⑤ $75 \times 28 = \square + \square = \square$

⑥ $46 \times 53 = \square + \square = \square$

⑦ $38 \times 68 = \square + \square = \square$

⑧ $19 \times 27 = \square + \square = \square$

공부한 날 월 일

받아올림 없는 두 자리 곱셈

세로셈으로 계산하세요.

	2	4
×	1	2
	4	8

24 × 2 = 48

24와 일의 자리 수의 곱을 씁니다.

	2	4
×	1	2
	4	8
2	4	0

24 × 10 = 240

24와 십의 자리 수의 곱을 씁니다.

	2	4
×	1	2
	4	8
2	4	0
2	8	8

48 + 240 = 288

일의 자리 수의 곱과 십의 자리 수의 곱을 더해 씁니다.

	2	4
×	1	2
	4	8
2	4	
2	8	8

(몇십몇)×(몇십)의 결과에서 끝자리 0을 쓰지 않고 자리를 비워 두고 계산합니다.

① 34 × 21

	3	4
×	2	1

② 13 × 32

	1	3
×	3	2

③ 42 × 22

	4	2
×	2	2

④ 23 × 23

	2	3
×	2	3

⑤ 32 × 31

	3	2
×	3	1

⑥ 11 × 87

	1	1
×	8	7

⑦ 22 × 43

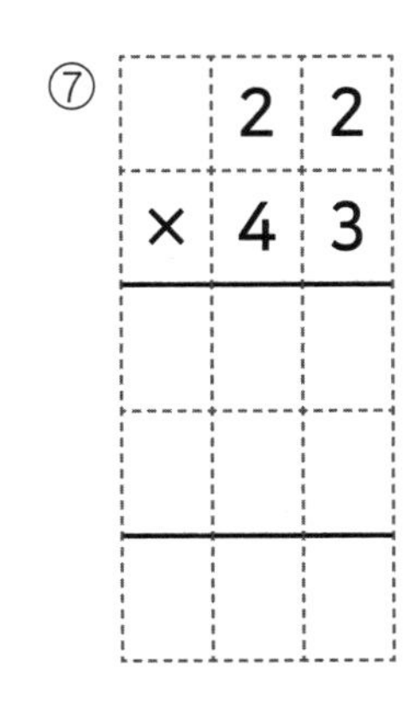

	2	2
×	4	3

⑧ 14 × 12

	1	4
×	1	2

세로셈으로 계산하세요.

	4	3
×	2	2
	8	6
8	6	
9	4	6

①
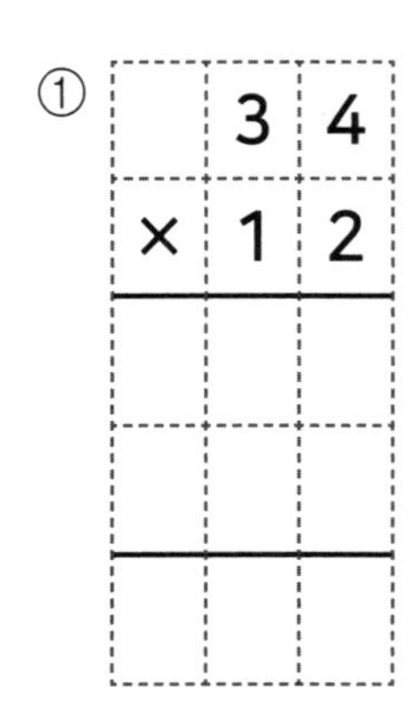

② 22 × 41

	2	2
×	4	1

③

	3	1
×	3	2

④

	1	3
×	3	1

⑤

	2	3
×	3	3

⑥
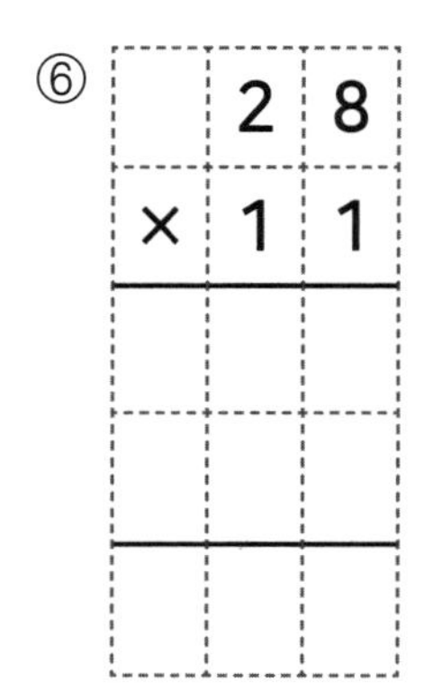

⑦

	1	4
×	1	2

⑧

	1	4
×	2	1

⑨

	7	9
×	1	1

⑩

	2	4
×	2	2

⑪

	1	3
×	1	3

세로셈으로 계산하세요.

①

	2	1
×	2	3

②

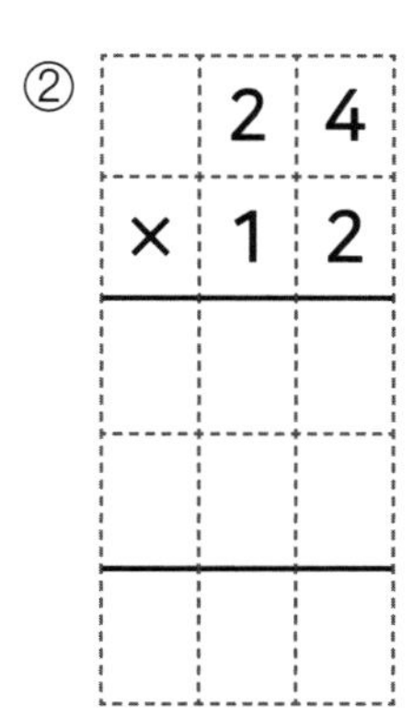

	2	4
×	1	2

③

	2	3
×	3	2

④

	3	2
×	1	3

⑤

	1	3
×	2	3

⑥

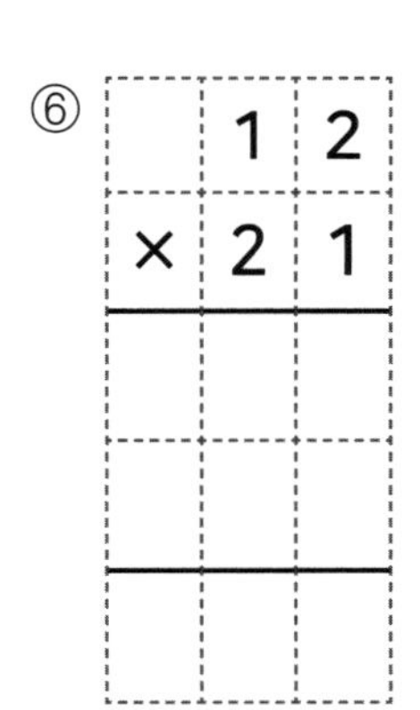

	1	2
×	2	1

⑦

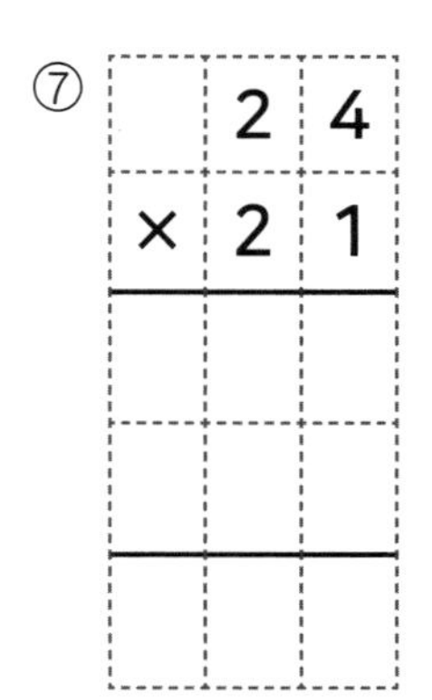

	2	4
×	2	1

⑧

	1	1
×	1	5

⑨

	3	3
×	2	2

⑩

	2	1
×	4	1

⑪

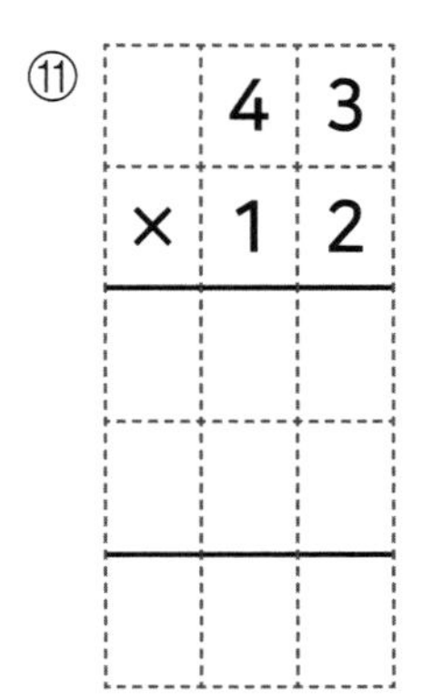

	4	3
×	1	2

⑫

	2	2
×	1	4

3일 받아올림 있는 두 자리 곱셈

세로셈으로 계산하세요.

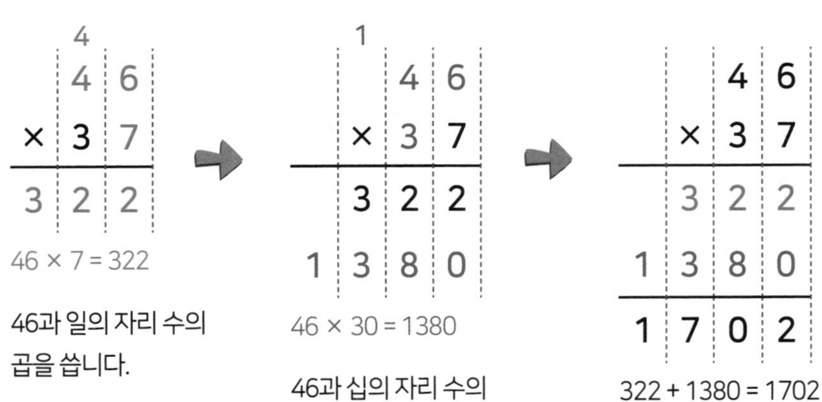

(몇십몇)×(몇십)의 결과에서 끝자리 0을 쓰지 않고 자리를 비워 두고 계산합니다.

① 58×64

② 46×73

③
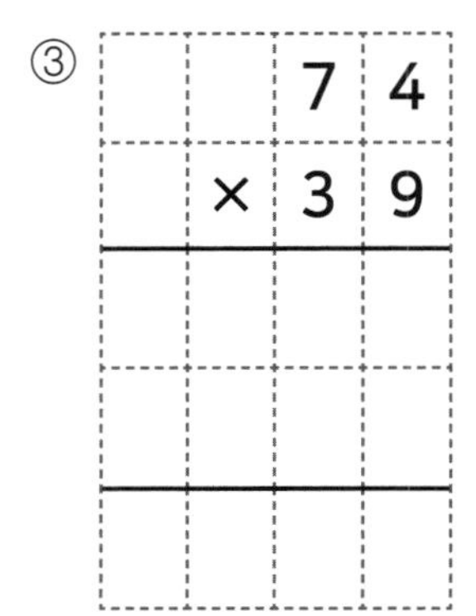

④ 24×28

⑤ 52×74

⑥ 35×39

⑦
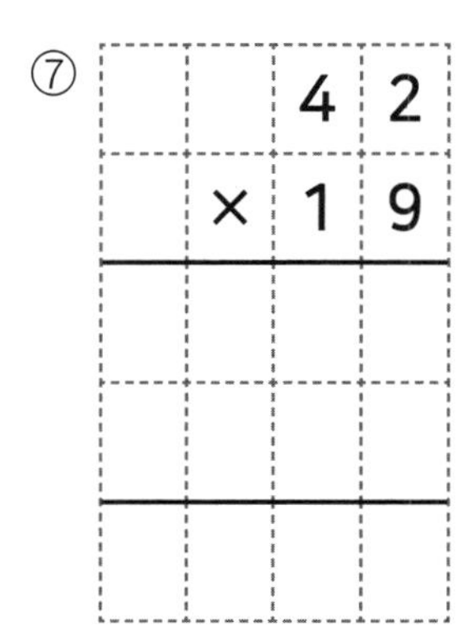

⑧ 27×98

세로셈으로 계산하세요.

	4	3	
		3	8
	×	5	4
	1	5	2
1	9	0	
2	0	5	2

① 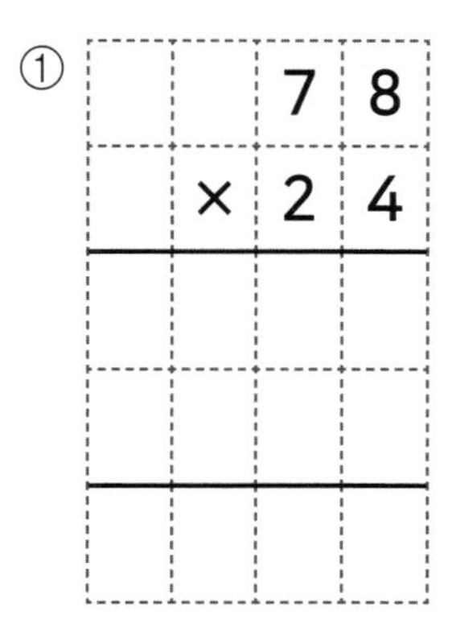

		7	8
	×	2	4

②

		8	4
	×	8	7

③

		9	3
	×	4	8

④

		8	5
	×	6	2

⑤ 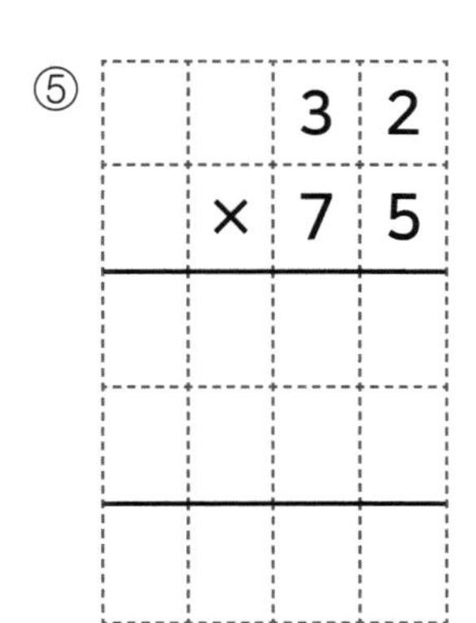

		3	2
	×	7	5

⑥ 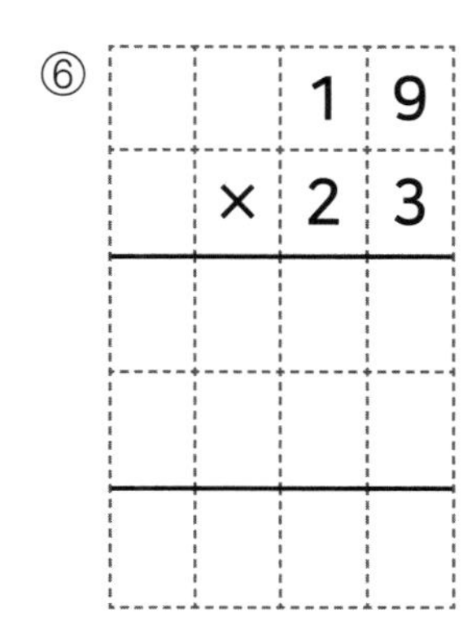

		1	9
	×	2	3

⑦

		4	5
	×	5	4

⑧

		6	8
	×	9	3

⑨

		2	7
	×	5	7

⑩

		9	6
	×	2	9

⑪

		5	6
	×	6	8

세로셈으로 계산하세요.

① $\begin{array}{r} 43 \\ \times\ 88 \\ \hline \end{array}$

② $\begin{array}{r} 84 \\ \times\ 35 \\ \hline \end{array}$

③ $\begin{array}{r} 76 \\ \times\ 59 \\ \hline \end{array}$

④ $\begin{array}{r} 27 \\ \times\ 62 \\ \hline \end{array}$

⑤ $\begin{array}{r} 32 \\ \times\ 78 \\ \hline \end{array}$

⑥ $\begin{array}{r} 65 \\ \times\ 46 \\ \hline \end{array}$

⑦ $\begin{array}{r} 54 \\ \times\ 55 \\ \hline \end{array}$

⑧ $\begin{array}{r} 19 \\ \times\ 34 \\ \hline \end{array}$

⑨ $\begin{array}{r} 78 \\ \times\ 56 \\ \hline \end{array}$

⑩ $\begin{array}{r} 96 \\ \times\ 82 \\ \hline \end{array}$

⑪ $\begin{array}{r} 39 \\ \times\ 63 \\ \hline \end{array}$

⑫ $\begin{array}{r} 88 \\ \times\ 37 \\ \hline \end{array}$

4일 세로셈 연습

월 일

세로셈으로 계산하세요.

① $\begin{array}{r} 24 \\ \times\ 22 \\ \hline \end{array}$

② $\begin{array}{r} 11 \\ \times\ 39 \\ \hline \end{array}$

③ $\begin{array}{r} 12 \\ \times\ 34 \\ \hline \end{array}$

④ $\begin{array}{r} 32 \\ \times\ 21 \\ \hline \end{array}$

⑤ $\begin{array}{r} 12 \\ \times\ 43 \\ \hline \end{array}$

⑥ $\begin{array}{r} 24 \\ \times\ 12 \\ \hline \end{array}$

⑦ $\begin{array}{r} 16 \\ \times\ 11 \\ \hline \end{array}$

⑧ $\begin{array}{r} 21 \\ \times\ 23 \\ \hline \end{array}$

⑨ $\begin{array}{r} 22 \\ \times\ 14 \\ \hline \end{array}$

⑩ $\begin{array}{r} 33 \\ \times\ 23 \\ \hline \end{array}$

⑪ $\begin{array}{r} 31 \\ \times\ 31 \\ \hline \end{array}$

⑫ $\begin{array}{r} 28 \\ \times\ 11 \\ \hline \end{array}$

세로셈으로 계산하세요.

① $\begin{array}{r} 83 \\ \times\ 46 \\ \hline \end{array}$

② $\begin{array}{r} 75 \\ \times\ 42 \\ \hline \end{array}$

③ $\begin{array}{r} 29 \\ \times\ 82 \\ \hline \end{array}$

④ $\begin{array}{r} 92 \\ \times\ 57 \\ \hline \end{array}$

⑤ $\begin{array}{r} 26 \\ \times\ 48 \\ \hline \end{array}$

⑥ $\begin{array}{r} 39 \\ \times\ 76 \\ \hline \end{array}$

⑦ $\begin{array}{r} 55 \\ \times\ 79 \\ \hline \end{array}$

⑧ $\begin{array}{r} 47 \\ \times\ 62 \\ \hline \end{array}$

⑨ $\begin{array}{r} 73 \\ \times\ 85 \\ \hline \end{array}$

⑩ $\begin{array}{r} 25 \\ \times\ 83 \\ \hline \end{array}$

⑪ $\begin{array}{r} 47 \\ \times\ 36 \\ \hline \end{array}$

⑫ $\begin{array}{r} 53 \\ \times\ 97 \\ \hline \end{array}$

세로셈으로 계산하세요.

① $\begin{array}{r} 31 \\ \times\ 35 \\ \hline \end{array}$

② $\begin{array}{r} 24 \\ \times\ 39 \\ \hline \end{array}$

③ $\begin{array}{r} 29 \\ \times\ 64 \\ \hline \end{array}$

④ $\begin{array}{r} 65 \\ \times\ 85 \\ \hline \end{array}$

⑤ $\begin{array}{r} 42 \\ \times\ 54 \\ \hline \end{array}$

⑥ $\begin{array}{r} 63 \\ \times\ 75 \\ \hline \end{array}$

⑦ $\begin{array}{r} 77 \\ \times\ 23 \\ \hline \end{array}$

⑧ $\begin{array}{r} 58 \\ \times\ 73 \\ \hline \end{array}$

⑨ $\begin{array}{r} 21 \\ \times\ 24 \\ \hline \end{array}$

⑩ $\begin{array}{r} 14 \\ \times\ 22 \\ \hline \end{array}$

⑪ $\begin{array}{r} 27 \\ \times\ 47 \\ \hline \end{array}$

⑫ $\begin{array}{r} 36 \\ \times\ 53 \\ \hline \end{array}$

세로셈으로 계산하세요.

①

24	68	56	82
72	29	43	26
48			
168			
1728			

②

11	49	32	29
73	54	23	98

③

22	75	13	62
43	39	31	56

빈 곳에 알맞은 수를 써넣으세요.

①

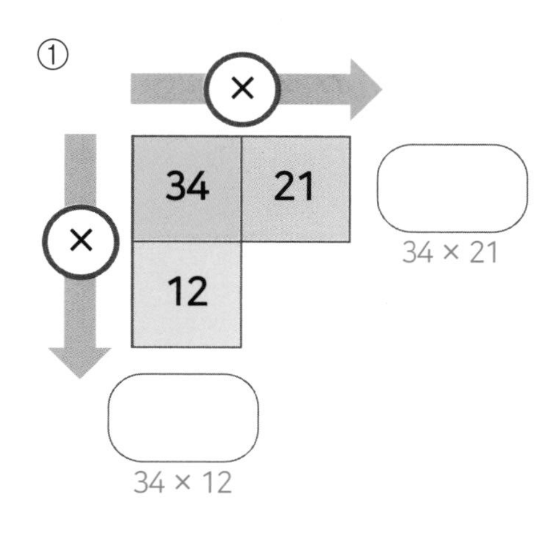

②

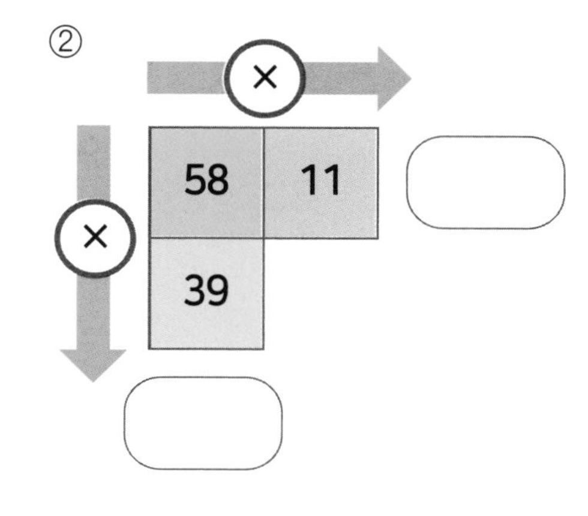

③

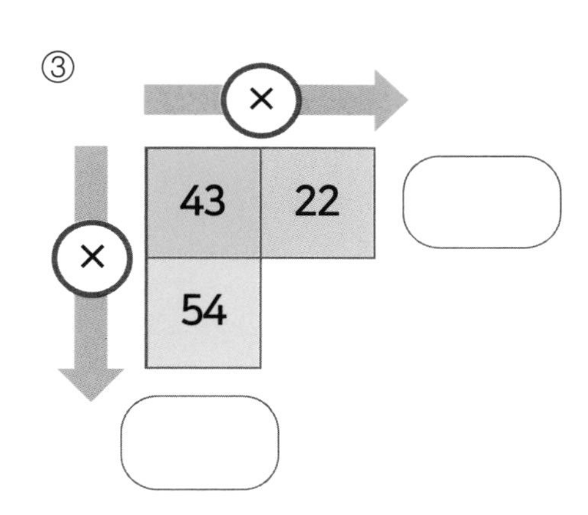

④

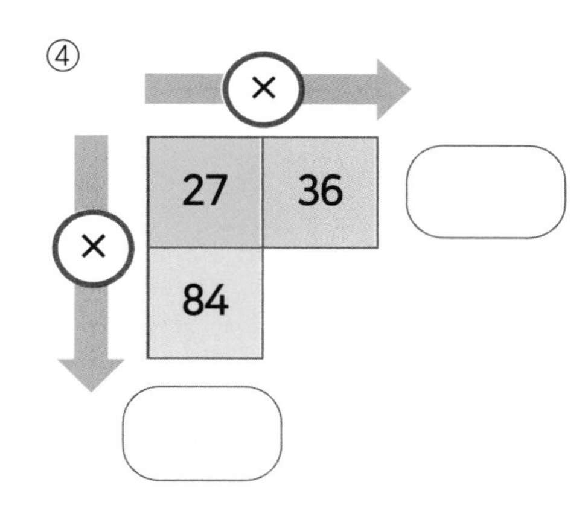

⑤

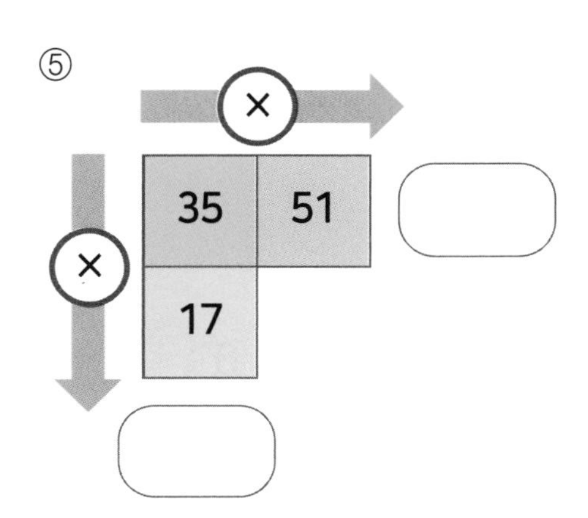

⑥

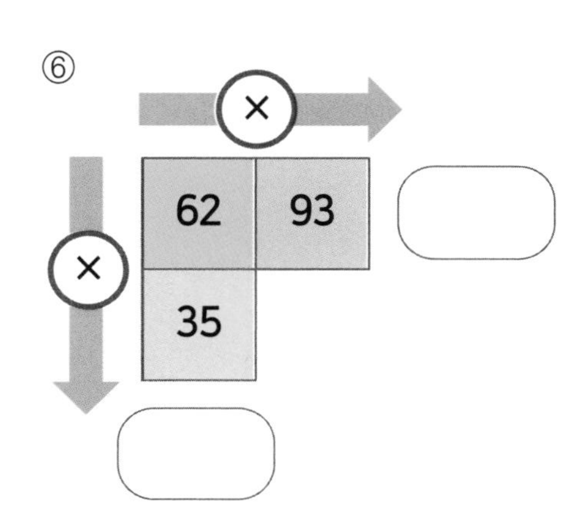

같은 줄에서 계산 결과가 가장 큰 것에 ○표 하세요.

$\begin{array}{r} 21 \\ \times\ 41 \\ \hline \end{array}$	32 × 23	42 × 11	$\begin{array}{r} 24 \\ \times\ 32 \\ \hline \end{array}$

12 × 32	$\begin{array}{r} 31 \\ \times\ 13 \\ \hline \end{array}$	$\begin{array}{r} 23 \\ \times\ 14 \\ \hline \end{array}$	17 × 28

47 × 34	$\begin{array}{r} 36 \\ \times\ 45 \\ \hline \end{array}$	26 × 63	$\begin{array}{r} 28 \\ \times\ 54 \\ \hline \end{array}$

$\begin{array}{r} 67 \\ \times\ 82 \\ \hline \end{array}$	$\begin{array}{r} 74 \\ \times\ 76 \\ \hline \end{array}$	59 × 93	64 × 89

4주차

도전! 계산왕

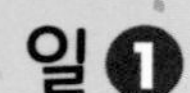

(두 자리 수)×(두 자리 수)

계산을 하세요.

① $\begin{array}{r} 78 \\ \times\ 47 \\ \hline \end{array}$

② $\begin{array}{r} 36 \\ \times\ 92 \\ \hline \end{array}$

③ $\begin{array}{r} 98 \\ \times\ 22 \\ \hline \end{array}$

④ $\begin{array}{r} 58 \\ \times\ 87 \\ \hline \end{array}$

⑤ $\begin{array}{r} 72 \\ \times\ 72 \\ \hline \end{array}$

⑥ $\begin{array}{r} 40 \\ \times\ 25 \\ \hline \end{array}$

⑦ $\begin{array}{r} 60 \\ \times\ 61 \\ \hline \end{array}$

⑧ $\begin{array}{r} 83 \\ \times\ 87 \\ \hline \end{array}$

⑨ $37 \times 71 =$

⑩ $42 \times 19 =$

⑪ $85 \times 89 =$

⑫ $78 \times 21 =$

⑬ $86 \times 90 =$

⑭ $67 \times 39 =$

(두 자리 수)×(두 자리 수)

계산을 하세요.

① $\begin{array}{r} 9\ 3 \\ \times\ 4\ 7 \\ \hline \end{array}$

② $\begin{array}{r} 5\ 1 \\ \times\ 8\ 0 \\ \hline \end{array}$

③ $\begin{array}{r} 1\ 3 \\ \times\ 5\ 4 \\ \hline \end{array}$

④ $\begin{array}{r} 2\ 1 \\ \times\ 5\ 9 \\ \hline \end{array}$

⑤ $\begin{array}{r} 8\ 1 \\ \times\ 3\ 0 \\ \hline \end{array}$

⑥ $\begin{array}{r} 5\ 8 \\ \times\ 4\ 7 \\ \hline \end{array}$

⑦ $\begin{array}{r} 5\ 0 \\ \times\ 5\ 8 \\ \hline \end{array}$

⑧ $\begin{array}{r} 4\ 0 \\ \times\ 2\ 4 \\ \hline \end{array}$

⑨ $13 \times 43 =$

⑩ $46 \times 53 =$

⑪ $66 \times 26 =$

⑫ $55 \times 18 =$

⑬ $59 \times 73 =$

⑭ $11 \times 68 =$

(두 자리 수)×(두 자리 수)

계산을 하세요.

① $\begin{array}{r} 60 \\ \times\ 91 \\ \hline \end{array}$

② $\begin{array}{r} 90 \\ \times\ 78 \\ \hline \end{array}$

③ $\begin{array}{r} 85 \\ \times\ 47 \\ \hline \end{array}$

④ $\begin{array}{r} 91 \\ \times\ 71 \\ \hline \end{array}$

⑤ $\begin{array}{r} 32 \\ \times\ 28 \\ \hline \end{array}$

⑥ $\begin{array}{r} 49 \\ \times\ 12 \\ \hline \end{array}$

⑦ $\begin{array}{r} 68 \\ \times\ 40 \\ \hline \end{array}$

⑧ $\begin{array}{r} 70 \\ \times\ 83 \\ \hline \end{array}$

⑨ $26 \times 30 =$

⑩ $98 \times 57 =$

⑪ $16 \times 69 =$

⑫ $89 \times 38 =$

⑬ $51 \times 91 =$

⑭ $89 \times 43 =$

(두 자리 수)×(두 자리 수)

공부한 날 월 일
점수 /14

계산을 하세요.

① $\begin{array}{r} 37 \\ \times\ 34 \\ \hline \end{array}$

② $\begin{array}{r} 20 \\ \times\ 65 \\ \hline \end{array}$

③ $\begin{array}{r} 45 \\ \times\ 27 \\ \hline \end{array}$

④ $\begin{array}{r} 88 \\ \times\ 47 \\ \hline \end{array}$

⑤ $\begin{array}{r} 60 \\ \times\ 26 \\ \hline \end{array}$

⑥ $\begin{array}{r} 53 \\ \times\ 83 \\ \hline \end{array}$

⑦ $\begin{array}{r} 12 \\ \times\ 42 \\ \hline \end{array}$

⑧ $\begin{array}{r} 24 \\ \times\ 31 \\ \hline \end{array}$

⑨ $20 \times 16 =$

⑩ $74 \times 63 =$

⑪ $58 \times 38 =$

⑫ $15 \times 65 =$

⑬ $17 \times 67 =$

⑭ $62 \times 76 =$

(두 자리 수)×(두 자리 수)

계산을 하세요.

① $\begin{array}{r} 28 \\ \times\ 28 \\ \hline \end{array}$

② $\begin{array}{r} 19 \\ \times\ 95 \\ \hline \end{array}$

③ $\begin{array}{r} 38 \\ \times\ 99 \\ \hline \end{array}$

④ $\begin{array}{r} 15 \\ \times\ 77 \\ \hline \end{array}$

⑤ $\begin{array}{r} 36 \\ \times\ 50 \\ \hline \end{array}$

⑥ $\begin{array}{r} 97 \\ \times\ 71 \\ \hline \end{array}$

⑦ $\begin{array}{r} 74 \\ \times\ 13 \\ \hline \end{array}$

⑧ $\begin{array}{r} 76 \\ \times\ 72 \\ \hline \end{array}$

⑨ $40 \times 72 =$

⑩ $58 \times 40 =$

⑪ $11 \times 40 =$

⑫ $19 \times 27 =$

⑬ $77 \times 65 =$

⑭ $40 \times 96 =$

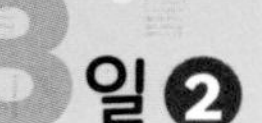
3일 ❷

(두 자리 수)×(두 자리 수)

공부한 날	월 일
점수	/14

계산을 하세요.

① $\begin{array}{r} 27 \\ \times\ 69 \\ \hline \end{array}$

② $\begin{array}{r} 58 \\ \times\ 80 \\ \hline \end{array}$

③ $\begin{array}{r} 40 \\ \times\ 16 \\ \hline \end{array}$

④ $\begin{array}{r} 35 \\ \times\ 19 \\ \hline \end{array}$

⑤ $\begin{array}{r} 82 \\ \times\ 69 \\ \hline \end{array}$

⑥ $\begin{array}{r} 61 \\ \times\ 40 \\ \hline \end{array}$

⑦ $\begin{array}{r} 24 \\ \times\ 21 \\ \hline \end{array}$

⑧ $\begin{array}{r} 48 \\ \times\ 28 \\ \hline \end{array}$

⑨ $94 \times 82 =$

⑩ $19 \times 55 =$

⑪ $54 \times 29 =$

⑫ $74 \times 89 =$

⑬ $94 \times 61 =$

⑭ $85 \times 32 =$

4일 ❶

(두 자리 수)×(두 자리 수)

공부한 날	월 일
점수	/14

계산을 하세요.

① $\begin{array}{r} 19 \\ \times\ 23 \\ \hline \end{array}$

② $\begin{array}{r} 88 \\ \times\ 76 \\ \hline \end{array}$

③ $\begin{array}{r} 40 \\ \times\ 63 \\ \hline \end{array}$

④ $\begin{array}{r} 76 \\ \times\ 63 \\ \hline \end{array}$

⑤ $\begin{array}{r} 70 \\ \times\ 51 \\ \hline \end{array}$

⑥ $\begin{array}{r} 22 \\ \times\ 18 \\ \hline \end{array}$

⑦ $\begin{array}{r} 19 \\ \times\ 11 \\ \hline \end{array}$

⑧ $\begin{array}{r} 84 \\ \times\ 30 \\ \hline \end{array}$

⑨ $89 \times 54 =$

⑩ $39 \times 41 =$

⑪ $11 \times 84 =$

⑫ $76 \times 88 =$

⑬ $65 \times 51 =$

⑭ $62 \times 12 =$

(두 자리 수)×(두 자리 수)

공부한 날 월 일
점수 /14

계산을 하세요.

① $\begin{array}{r} 82 \\ \times\ 92 \\ \hline \end{array}$

② $\begin{array}{r} 88 \\ \times\ 53 \\ \hline \end{array}$

③ $\begin{array}{r} 22 \\ \times\ 46 \\ \hline \end{array}$

④ $\begin{array}{r} 70 \\ \times\ 94 \\ \hline \end{array}$

⑤ $\begin{array}{r} 14 \\ \times\ 25 \\ \hline \end{array}$

⑥ $\begin{array}{r} 46 \\ \times\ 52 \\ \hline \end{array}$

⑦ $\begin{array}{r} 19 \\ \times\ 88 \\ \hline \end{array}$

⑧ $\begin{array}{r} 83 \\ \times\ 62 \\ \hline \end{array}$

⑨ $41 \times 22 =$

⑩ $84 \times 31 =$

⑪ $32 \times 23 =$

⑫ $84 \times 34 =$

⑬ $61 \times 45 =$

⑭ $48 \times 49 =$

5일 ❶

(두 자리 수)×(두 자리 수)

공부한 날	월 일
점수	/14

계산을 하세요.

① $\begin{array}{r} 57 \\ \times\ 82 \\ \hline \end{array}$

② $\begin{array}{r} 84 \\ \times\ 14 \\ \hline \end{array}$

③ $\begin{array}{r} 53 \\ \times\ 80 \\ \hline \end{array}$

④ $\begin{array}{r} 67 \\ \times\ 31 \\ \hline \end{array}$

⑤ $\begin{array}{r} 26 \\ \times\ 60 \\ \hline \end{array}$

⑥ $\begin{array}{r} 81 \\ \times\ 35 \\ \hline \end{array}$

⑦ $\begin{array}{r} 11 \\ \times\ 55 \\ \hline \end{array}$

⑧ $\begin{array}{r} 22 \\ \times\ 19 \\ \hline \end{array}$

⑨ $41 \times 72 =$

⑩ $61 \times 60 =$

⑪ $33 \times 24 =$

⑫ $54 \times 41 =$

⑬ $22 \times 92 =$

⑭ $53 \times 70 =$

(두 자리 수)×(두 자리 수)

공부한 날	월 일
점수	/14

계산을 하세요.

① $\begin{array}{r} 39 \\ \times\ 52 \\ \hline \end{array}$

② $\begin{array}{r} 95 \\ \times\ 41 \\ \hline \end{array}$

③ $\begin{array}{r} 24 \\ \times\ 86 \\ \hline \end{array}$

④ $\begin{array}{r} 50 \\ \times\ 62 \\ \hline \end{array}$

⑤ $\begin{array}{r} 63 \\ \times\ 36 \\ \hline \end{array}$

⑥ $\begin{array}{r} 15 \\ \times\ 73 \\ \hline \end{array}$

⑦ $\begin{array}{r} 43 \\ \times\ 21 \\ \hline \end{array}$

⑧ $\begin{array}{r} 98 \\ \times\ 47 \\ \hline \end{array}$

⑨ $38 \times 57 =$

⑩ $34 \times 62 =$

⑪ $11 \times 65 =$

⑫ $15 \times 79 =$

⑬ $63 \times 93 =$

⑭ $39 \times 89 =$

MEMO

5주차

(세 자리 수)×(두 자리 수)

(세 자리 수)×(두 자리 수)를 학습합니다. 앞에서 배운 (두 자리 수)×(두 자리 수)의 계산 과정과 같은 방법으로 생각하면 어렵지 않게 할 수 있습니다. 수가 확장되었으므로 실수하지 않고 자리 연습을 확실히 할 수 있도록 합니다.

받아올림 없는 세 자리 곱셈

세로셈으로 계산하세요.

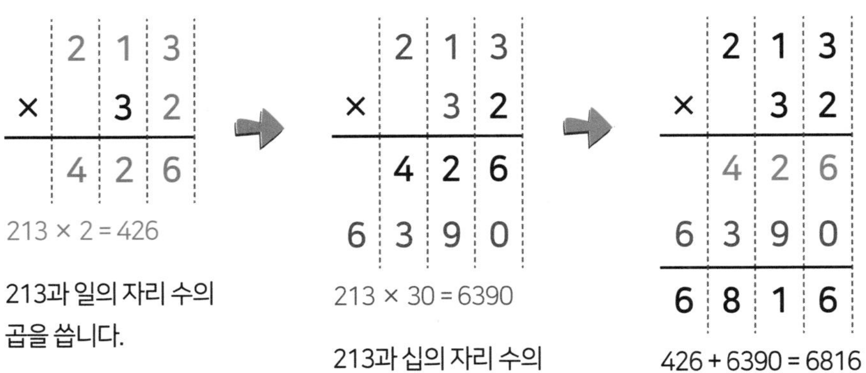

일의 자리 수의 곱과 십의 자리 수의 곱을 더해 씁니다.

	2	1	3
×		3	2
	4	2	6
6	3	9	
6	8	1	6

(몇백몇십몇)×(몇십)의 결과에서 끝자리 0을 쓰지 않고 자리를 비워 두고 계산합니다.

① 312 × 23

② 112 × 41

③ 412 × 21

④ 231 × 22

⑤ 122 × 34

⑥ 423 × 12

⑦ 144 × 22

⑧ 232 × 23

세로셈으로 계산하세요.

	4	2	1
×		1	2
	8	4	2
4	2	1	
5	0	5	2

①

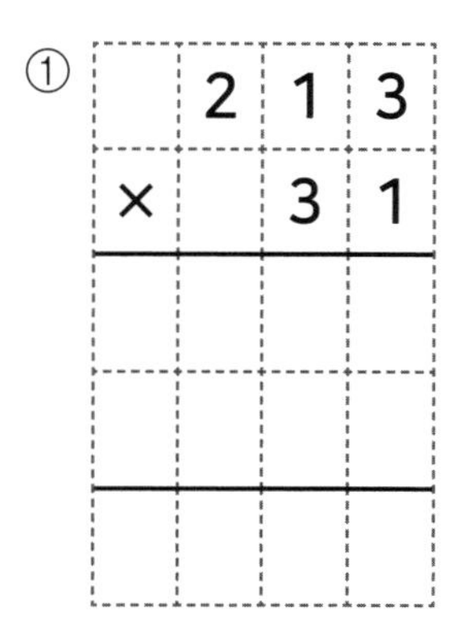

	2	1	3
×		3	1

②

	3	3	2
×		1	3

③

	1	2	0
×		2	4

④

	1	4	2
×		2	1

⑤

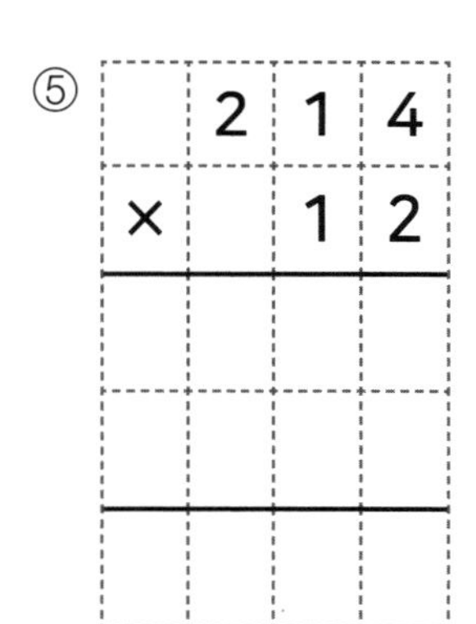

	2	1	4
×		1	2

⑥

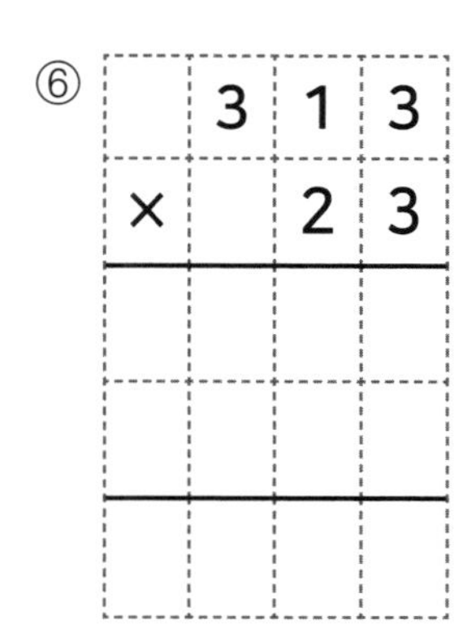

	3	1	3
×		2	3

⑦

	2	1	2
×		1	4

⑧

	1	2	3
×		3	2

⑨

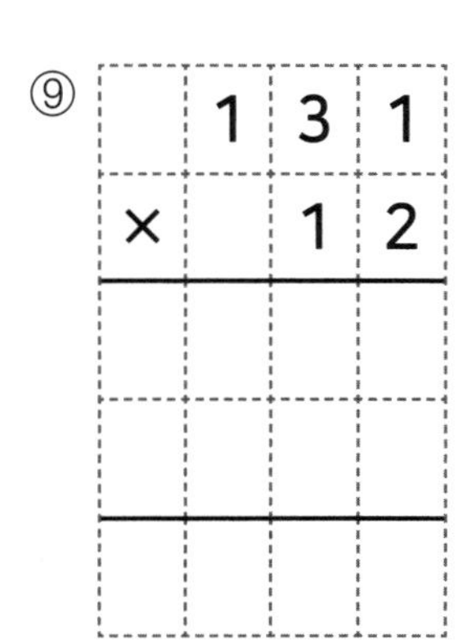

	1	3	1
×		1	2

⑩

	3	0	1
×		3	1

⑪

	3	2	4
×		1	2

세로셈으로 계산하세요.

①

	2	4	3
×		2	1

②

	3	1	0
×		1	3

③

	1	4	3
×		1	2

④

	3	2	4
×		2	2

⑤

	3	2	1
×		2	3

⑥

	1	3	2
×		3	1

⑦

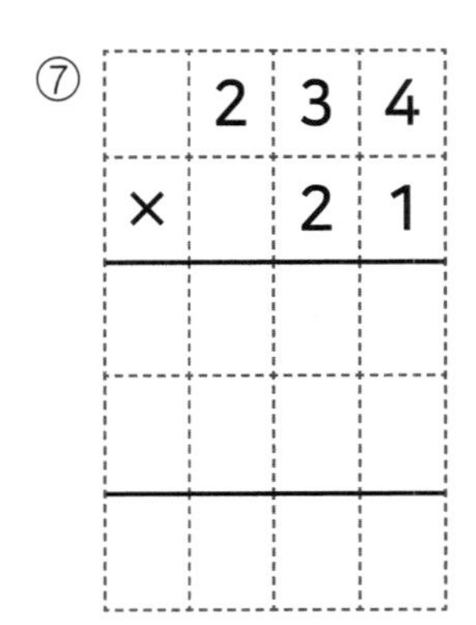

	2	3	4
×		2	1

⑧

	2	2	1
×		4	1

⑨

	2	1	3
×		3	2

⑩

	1	4	2
×		2	1

⑪

	3	0	2
×		3	3

⑫

	1	2	1
×		1	4

공부한 날 월 일

세로셈으로 계산하세요.

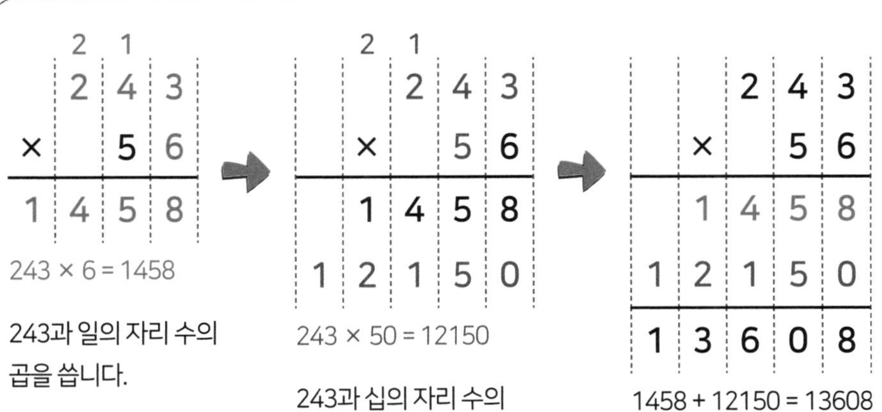

243 × 6 = 1458

243과 일의 자리 수의 곱을 씁니다.

243 × 50 = 12150

243과 십의 자리 수의 곱을 씁니다.

1458 + 12150 = 13608

일의 자리 수의 곱과 십의 자리 수의 곱을 더해 씁니다.

		2	4	3
	×		5	6
	1	4	5	8
1	2	1	5	
1	3	6	0	8

(몇백몇십몇)×(몇십)의 결과에서 끝자리 0을 쓰지 않고 자리를 비워 두고 계산합니다.

① 628 × 45

② 274 × 96

③ 593 × 87

④ 426 × 68

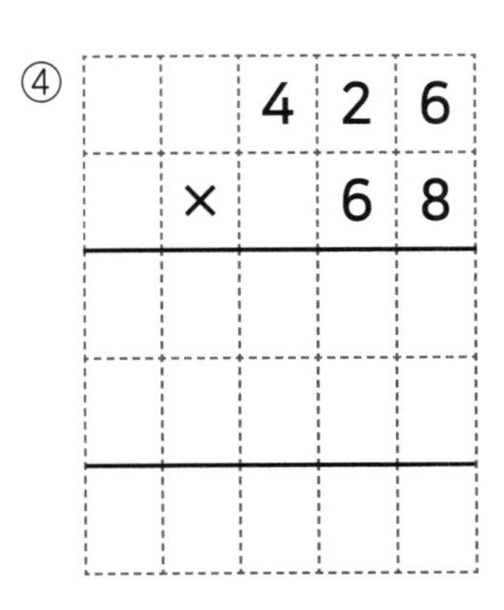

⑤ 317 × 59

⑥ 725 × 73

세로셈으로 계산하세요.

예시:

		4	3		
			1	1	
			3	5	4
		×		8	3
		1	0	6	2
	2	8	3	2	
	2	9	3	8	2

① 523 × 48

		5	2	3
	×		4	8

② 794 × 63

		7	9	4
	×		6	3

③ 832 × 45

		8	3	2
	×		4	5

④ 379 × 68

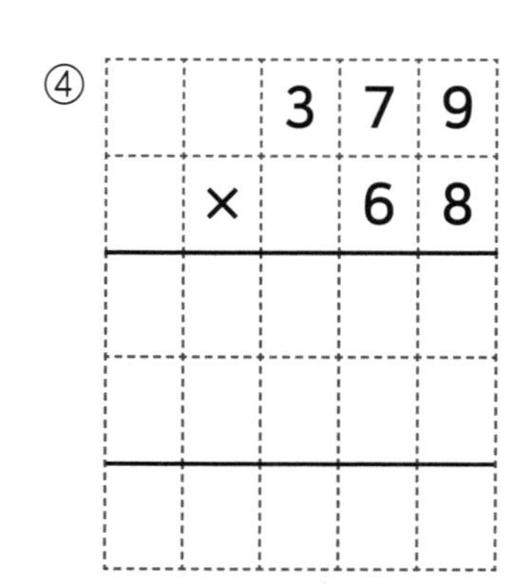

		3	7	9
	×		6	8

⑤ 465 × 27

		4	6	5
	×		2	7

⑥ 678 × 82

		6	7	8
	×		8	2

⑦ 543 × 96

		5	4	3
	×		9	6

⑧ 249 × 53

		2	4	9
	×		5	3

세로셈으로 계산하세요.

① 253 × 48

② 736 × 62

③ 435 × 29

④ 647 × 35

⑤

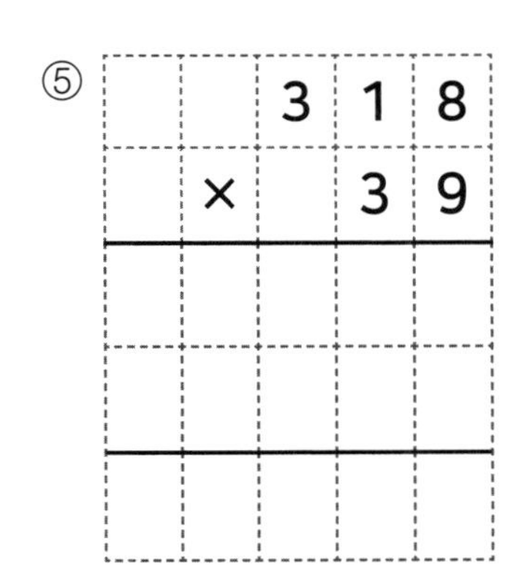

⑥ 275 × 78

⑦ 593 × 26

⑧ 429 × 95

⑨ 864 × 82

세로셈 연습

월 일

세로셈으로 계산하세요.

① $\begin{array}{r} 324 \\ \times \quad 12 \\ \hline \end{array}$

② $\begin{array}{r} 231 \\ \times \quad 23 \\ \hline \end{array}$

③ $\begin{array}{r} 403 \\ \times \quad 21 \\ \hline \end{array}$

④ $\begin{array}{r} 124 \\ \times \quad 22 \\ \hline \end{array}$

⑤ $\begin{array}{r} 340 \\ \times \quad 21 \\ \hline \end{array}$

⑥ $\begin{array}{r} 134 \\ \times \quad 12 \\ \hline \end{array}$

⑦ $\begin{array}{r} 213 \\ \times \quad 32 \\ \hline \end{array}$

⑧ $\begin{array}{r} 312 \\ \times \quad 13 \\ \hline \end{array}$

⑨ $\begin{array}{r} 132 \\ \times \quad 23 \\ \hline \end{array}$

⑩ $\begin{array}{r} 342 \\ \times \quad 21 \\ \hline \end{array}$

⑪ $\begin{array}{r} 103 \\ \times \quad 13 \\ \hline \end{array}$

⑫ $\begin{array}{r} 223 \\ \times \quad 31 \\ \hline \end{array}$

세로셈으로 계산하세요.

① $\begin{array}{r} 129 \\ \times \quad 65 \\ \hline \end{array}$

② $\begin{array}{r} 793 \\ \times \quad 48 \\ \hline \end{array}$

③ $\begin{array}{r} 859 \\ \times \quad 26 \\ \hline \end{array}$

④ $\begin{array}{r} 584 \\ \times \quad 39 \\ \hline \end{array}$

⑤ $\begin{array}{r} 457 \\ \times \quad 27 \\ \hline \end{array}$

⑥ $\begin{array}{r} 608 \\ \times \quad 92 \\ \hline \end{array}$

⑦ $\begin{array}{r} 895 \\ \times \quad 43 \\ \hline \end{array}$

⑧ $\begin{array}{r} 935 \\ \times \quad 64 \\ \hline \end{array}$

⑨ $\begin{array}{r} 583 \\ \times \quad 56 \\ \hline \end{array}$

⑩ $\begin{array}{r} 956 \\ \times \quad 38 \\ \hline \end{array}$

⑪ $\begin{array}{r} 760 \\ \times \quad 42 \\ \hline \end{array}$

⑫ $\begin{array}{r} 174 \\ \times \quad 93 \\ \hline \end{array}$

세로셈으로 계산하세요.

①
$$\begin{array}{r} 875 \\ \times \quad 28 \\ \hline \end{array}$$

②
$$\begin{array}{r} 483 \\ \times \quad 25 \\ \hline \end{array}$$

③
$$\begin{array}{r} 354 \\ \times \quad 37 \\ \hline \end{array}$$

④
$$\begin{array}{r} 612 \\ \times \quad 79 \\ \hline \end{array}$$

⑤
$$\begin{array}{r} 241 \\ \times \quad 11 \\ \hline \end{array}$$

⑥
$$\begin{array}{r} 406 \\ \times \quad 89 \\ \hline \end{array}$$

⑦
$$\begin{array}{r} 572 \\ \times \quad 43 \\ \hline \end{array}$$

⑧
$$\begin{array}{r} 598 \\ \times \quad 62 \\ \hline \end{array}$$

⑨
$$\begin{array}{r} 132 \\ \times \quad 31 \\ \hline \end{array}$$

⑩
$$\begin{array}{r} 492 \\ \times \quad 57 \\ \hline \end{array}$$

⑪
$$\begin{array}{r} 230 \\ \times \quad 23 \\ \hline \end{array}$$

⑫
$$\begin{array}{r} 725 \\ \times \quad 64 \\ \hline \end{array}$$

연산 퍼즐

□에 알맞은 수를 써넣으세요.

		6	9	8
	×		4	3
	2			4
2		9		
3	0		1	4

		9	1	7
	×		5	2
			3	4
4	5			
4	7	6		4

		3	6	5
	×		8	4
		4	6	
2	9			
3		6	6	0

		4	9	2
	×		2	5
	2		6	
		8		
1	2		0	0

		8	0	3
	×		3	6
		8		8
2	4			
2		9	0	8

		7	2	6
	×		8	5
	3		3	0
5		0	8	
6	1			0

		2	6	8
	×		3	9
	2	4		2
			4	
1	0		5	

		5	4	8
	×		6	4
	2	1	9	
3	2			
		0	7	2

		2	3	0
	×		7	6
	1			0
1	6		0	
1	7			0

빈 곳에 알맞은 수를 써넣으세요.

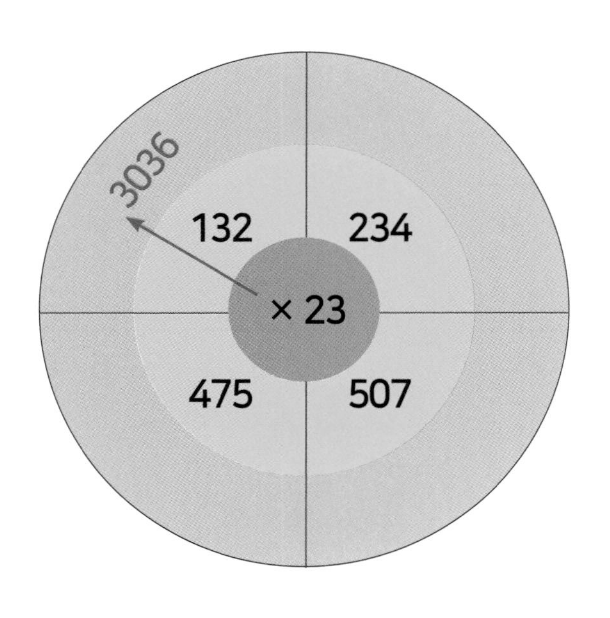

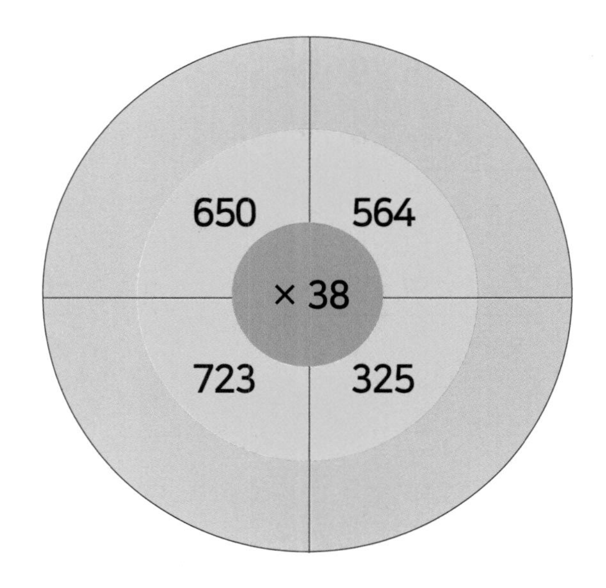

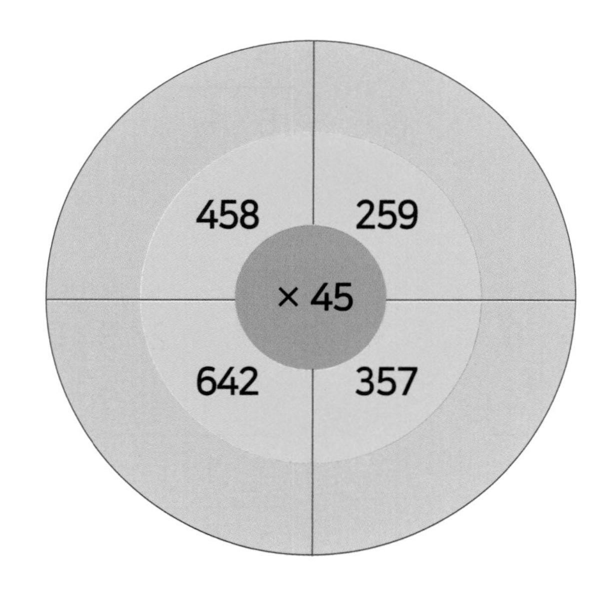

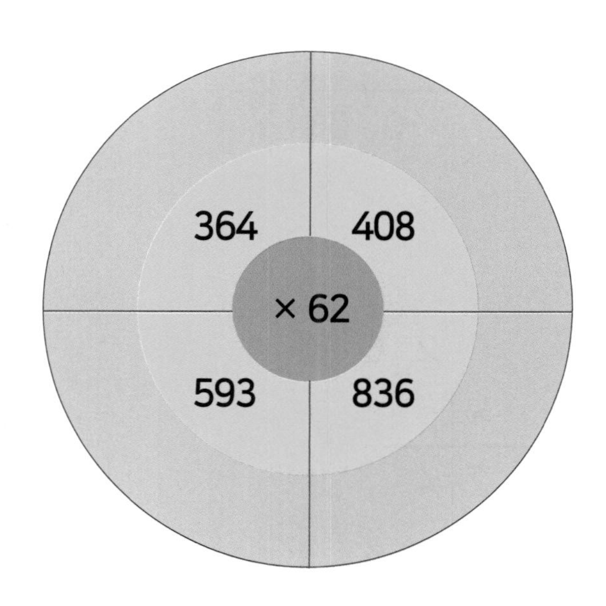

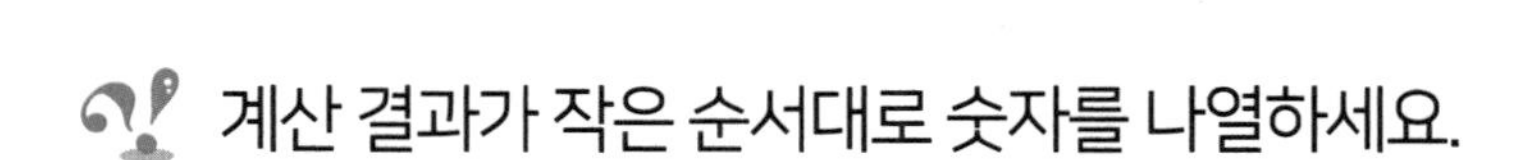

계산 결과가 작은 순서대로 숫자를 나열하세요.

1

$$\begin{array}{r} 462 \\ \times \quad 26 \\ \hline \end{array}$$

2

$$\begin{array}{r} 224 \\ \times \quad 53 \\ \hline \end{array}$$

3

$$\begin{array}{r} 323 \\ \times \quad 43 \\ \hline \end{array}$$

4

$$\begin{array}{r} 539 \\ \times \quad 32 \\ \hline \end{array}$$

□ □ □ □

1

$$\begin{array}{r} 658 \\ \times \quad 43 \\ \hline \end{array}$$

2

$$\begin{array}{r} 278 \\ \times \quad 58 \\ \hline \end{array}$$

3

$$\begin{array}{r} 294 \\ \times \quad 73 \\ \hline \end{array}$$

4

$$\begin{array}{r} 693 \\ \times \quad 39 \\ \hline \end{array}$$

□ □ □ □

1

$$\begin{array}{r} 534 \\ \times \quad 29 \\ \hline \end{array}$$

2

$$\begin{array}{r} 487 \\ \times \quad 36 \\ \hline \end{array}$$

3

$$\begin{array}{r} 396 \\ \times \quad 44 \\ \hline \end{array}$$

4

$$\begin{array}{r} 565 \\ \times \quad 53 \\ \hline \end{array}$$

□ □ □ □

월 일

글과 그림을 보고 물음에 알맞은 식을 세우고 답을 구하세요.

민호네 학교에서는 체육 대회를 준비하기 위해 567개씩 들어 있는 풍선 15봉지를 구입하였습니다.

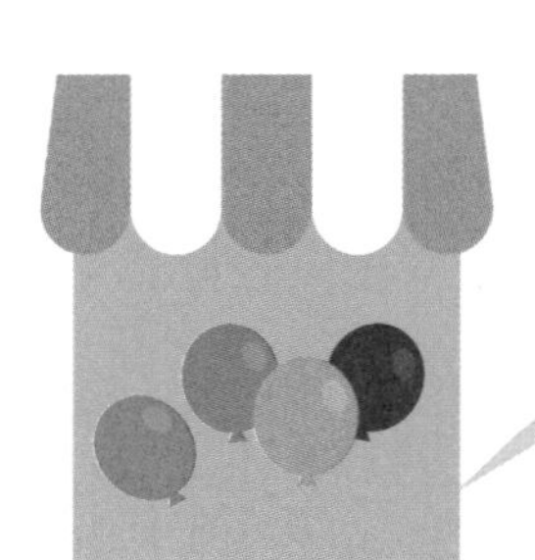

풍선 구성	
노란색	132개
파란색	104개
녹색	111개
보라색	107개
빨간색	113개
합계	567개

★ 체육 대회에서 구입한 풍선을 모두 불어서 사용하려고 합니다. 모두 몇 개의 풍선을 불어야 할까요?

식 : $567 \times 15 = 8505$ 답 : 8505 개

① 체육 대회에서 사용할 수 있는 노란색 풍선은 모두 몇 개일까요?

식 : ______ 답 : ______ 개

② 체육 대회에서 사용할 수 있는 파란색 풍선은 모두 몇 개일까요?

식 : ______ 답 : ______ 개

문제를 읽고 알맞은 식과 답을 써 보세요.

① 선물 상자 하나를 포장하는데 리본 356 cm가 필요합니다. 선물 상자 25개를 포장하는데 필요한 리본의 길이는 몇 cm일까요?

식 : ______________________ 답 : __________ cm

② 정원이 108명인 남산 케이블카에 손님을 가득 태워서 19번 운행할 동안 케이블카에 타게 되는 손님은 몇 명일까요?

식 : ______________________ 답 : __________ 명

③ 모두 157장으로 이루어진 연습장 32권이 있습니다. 연습장을 겹쳐서 쌓아 놓으면 쌓아진 종이는 모두 몇 장일까요?

식 : ______________________ 답 : __________ 장

④ 성호는 친구들과 같이 도토리를 주웠는데 한 봉지에 235개씩을 담았습니다. 도토리를 담은 봉지가 12개라면 성호가 친구들과 모은 도토리는 몇 개일까요?

식 : ______________________ 답 : __________ 개

문제를 읽고 알맞은 식과 답을 써 보세요.

① 민정이네 마을에서 딴 딸기를 팔기 위해 트럭 한 대에 딸기를 258상자씩 실었습니다. 트럭 17대에 실은 딸기는 모두 몇 상자일까요?

식 : ______________________ 답 : __________ 상자

② 지아는 강아지와 함께 하루에 458 m씩 산책합니다. 지아가 30일 동안 산책한 거리는 몇 m일까요?

식 : ______________________ 답 : __________ m

③ 공장에서 바둑알을 1분에 274개씩 생산하고 있습니다. 공장에서 25분간 생산한 바둑알은 모두 몇 개일까요?

식 : ______________________ 답 : __________ 개

④ 음료수 한 상자에는 음료수가 108개씩 들어 있습니다. 음료수 64상자에 들어 있는 음료수는 모두 몇 개일까요?

식 : ______________________ 답 : __________ 개

6주차

도전! 계산왕

(세 자리 수)×(두 자리 수)

공부한 날	월 일
점수	/12

계산을 하세요.

① $\begin{array}{r} 423 \\ \times \quad 12 \\ \hline \end{array}$

② $\begin{array}{r} 623 \\ \times \quad 42 \\ \hline \end{array}$

③ $\begin{array}{r} 302 \\ \times \quad 23 \\ \hline \end{array}$

④ $\begin{array}{r} 348 \\ \times \quad 65 \\ \hline \end{array}$

⑤ $\begin{array}{r} 275 \\ \times \quad 93 \\ \hline \end{array}$

⑥ $\begin{array}{r} 195 \\ \times \quad 34 \\ \hline \end{array}$

⑦ $\begin{array}{r} 724 \\ \times \quad 52 \\ \hline \end{array}$

⑧ $\begin{array}{r} 287 \\ \times \quad 15 \\ \hline \end{array}$

⑨ $\begin{array}{r} 132 \\ \times \quad 31 \\ \hline \end{array}$

⑩ $\begin{array}{r} 305 \\ \times \quad 63 \\ \hline \end{array}$

⑪ $\begin{array}{r} 418 \\ \times \quad 26 \\ \hline \end{array}$

⑫ $\begin{array}{r} 520 \\ \times \quad 36 \\ \hline \end{array}$

(세 자리 수)×(두 자리 수)

공부한 날	월 일
점수	/12

계산을 하세요.

① $\begin{array}{r} 143 \\ \times \quad 21 \\ \hline \end{array}$

② $\begin{array}{r} 264 \\ \times \quad 39 \\ \hline \end{array}$

③ $\begin{array}{r} 450 \\ \times \quad 62 \\ \hline \end{array}$

④ $\begin{array}{r} 512 \\ \times \quad 45 \\ \hline \end{array}$

⑤ $\begin{array}{r} 865 \\ \times \quad 19 \\ \hline \end{array}$

⑥ $\begin{array}{r} 634 \\ \times \quad 48 \\ \hline \end{array}$

⑦ $\begin{array}{r} 462 \\ \times \quad 52 \\ \hline \end{array}$

⑧ $\begin{array}{r} 147 \\ \times \quad 38 \\ \hline \end{array}$

⑨ $\begin{array}{r} 340 \\ \times \quad 22 \\ \hline \end{array}$

⑩ $\begin{array}{r} 313 \\ \times \quad 13 \\ \hline \end{array}$

⑪ $\begin{array}{r} 708 \\ \times \quad 52 \\ \hline \end{array}$

⑫ $\begin{array}{r} 573 \\ \times \quad 26 \\ \hline \end{array}$

(세 자리 수)×(두 자리 수)

공부한 날	월 일
점수	/12

계산을 하세요.

① $\begin{array}{r} 143 \\ \times \quad 12 \\ \hline \end{array}$

② $\begin{array}{r} 543 \\ \times \quad 72 \\ \hline \end{array}$

③ $\begin{array}{r} 132 \\ \times \quad 24 \\ \hline \end{array}$

④ $\begin{array}{r} 465 \\ \times \quad 38 \\ \hline \end{array}$

⑤ $\begin{array}{r} 731 \\ \times \quad 37 \\ \hline \end{array}$

⑥ $\begin{array}{r} 317 \\ \times \quad 82 \\ \hline \end{array}$

⑦ $\begin{array}{r} 824 \\ \times \quad 49 \\ \hline \end{array}$

⑧ $\begin{array}{r} 354 \\ \times \quad 62 \\ \hline \end{array}$

⑨ $\begin{array}{r} 202 \\ \times \quad 14 \\ \hline \end{array}$

⑩ $\begin{array}{r} 421 \\ \times \quad 31 \\ \hline \end{array}$

⑪ $\begin{array}{r} 658 \\ \times \quad 24 \\ \hline \end{array}$

⑫ $\begin{array}{r} 279 \\ \times \quad 45 \\ \hline \end{array}$

(세 자리 수)×(두 자리 수)

공부한 날	월 일
점수	/12

계산을 하세요.

① $\begin{array}{r} 142 \\ \times\quad 25 \\ \hline \end{array}$

② $\begin{array}{r} 503 \\ \times\quad 61 \\ \hline \end{array}$

③ $\begin{array}{r} 322 \\ \times\quad 33 \\ \hline \end{array}$

④ $\begin{array}{r} 280 \\ \times\quad 49 \\ \hline \end{array}$

⑤ $\begin{array}{r} 803 \\ \times\quad 56 \\ \hline \end{array}$

⑥ $\begin{array}{r} 236 \\ \times\quad 17 \\ \hline \end{array}$

⑦ $\begin{array}{r} 141 \\ \times\quad 22 \\ \hline \end{array}$

⑧ $\begin{array}{r} 356 \\ \times\quad 82 \\ \hline \end{array}$

⑨ $\begin{array}{r} 715 \\ \times\quad 23 \\ \hline \end{array}$

⑩ $\begin{array}{r} 454 \\ \times\quad 73 \\ \hline \end{array}$

⑪ $\begin{array}{r} 374 \\ \times\quad 32 \\ \hline \end{array}$

⑫ $\begin{array}{r} 231 \\ \times\quad 31 \\ \hline \end{array}$

(세 자리 수)×(두 자리 수)

공부한 날	월 일
점수	/12

계산을 하세요.

① $\begin{array}{r} 340 \\ \times \ \ 57 \\ \hline \end{array}$

② $\begin{array}{r} 241 \\ \times \ \ 12 \\ \hline \end{array}$

③ $\begin{array}{r} 254 \\ \times \ \ 36 \\ \hline \end{array}$

④ $\begin{array}{r} 462 \\ \times \ \ 37 \\ \hline \end{array}$

⑤ $\begin{array}{r} 728 \\ \times \ \ 62 \\ \hline \end{array}$

⑥ $\begin{array}{r} 346 \\ \times \ \ 72 \\ \hline \end{array}$

⑦ $\begin{array}{r} 571 \\ \times \ \ 48 \\ \hline \end{array}$

⑧ $\begin{array}{r} 565 \\ \times \ \ 29 \\ \hline \end{array}$

⑨ $\begin{array}{r} 130 \\ \times \ \ 32 \\ \hline \end{array}$

⑩ $\begin{array}{r} 233 \\ \times \ \ 23 \\ \hline \end{array}$

⑪ $\begin{array}{r} 208 \\ \times \ \ 36 \\ \hline \end{array}$

⑫ $\begin{array}{r} 639 \\ \times \ \ 81 \\ \hline \end{array}$

(세 자리 수)×(두 자리 수)

공부한 날	월 일
점수	/12

계산을 하세요.

①
$$\begin{array}{r} 629 \\ \times \quad 26 \\ \hline \end{array}$$

②
$$\begin{array}{r} 423 \\ \times \quad 22 \\ \hline \end{array}$$

③
$$\begin{array}{r} 395 \\ \times \quad 16 \\ \hline \end{array}$$

④
$$\begin{array}{r} 628 \\ \times \quad 43 \\ \hline \end{array}$$

⑤
$$\begin{array}{r} 715 \\ \times \quad 59 \\ \hline \end{array}$$

⑥
$$\begin{array}{r} 370 \\ \times \quad 39 \\ \hline \end{array}$$

⑦
$$\begin{array}{r} 131 \\ \times \quad 21 \\ \hline \end{array}$$

⑧
$$\begin{array}{r} 195 \\ \times \quad 25 \\ \hline \end{array}$$

⑨
$$\begin{array}{r} 502 \\ \times \quad 73 \\ \hline \end{array}$$

⑩
$$\begin{array}{r} 416 \\ \times \quad 34 \\ \hline \end{array}$$

⑪
$$\begin{array}{r} 254 \\ \times \quad 48 \\ \hline \end{array}$$

⑫
$$\begin{array}{r} 213 \\ \times \quad 33 \\ \hline \end{array}$$

(세 자리 수)×(두 자리 수)

공부한 날	월 일
점수	/12

계산을 하세요.

① $\begin{array}{r} 519 \\ \times \quad 39 \\ \hline \end{array}$

② $\begin{array}{r} 831 \\ \times \quad 15 \\ \hline \end{array}$

③ $\begin{array}{r} 312 \\ \times \quad 13 \\ \hline \end{array}$

④ $\begin{array}{r} 763 \\ \times \quad 27 \\ \hline \end{array}$

⑤ $\begin{array}{r} 914 \\ \times \quad 14 \\ \hline \end{array}$

⑥ $\begin{array}{r} 258 \\ \times \quad 43 \\ \hline \end{array}$

⑦ $\begin{array}{r} 412 \\ \times \quad 12 \\ \hline \end{array}$

⑧ $\begin{array}{r} 643 \\ \times \quad 52 \\ \hline \end{array}$

⑨ $\begin{array}{r} 362 \\ \times \quad 48 \\ \hline \end{array}$

⑩ $\begin{array}{r} 170 \\ \times \quad 94 \\ \hline \end{array}$

⑪ $\begin{array}{r} 487 \\ \times \quad 62 \\ \hline \end{array}$

⑫ $\begin{array}{r} 232 \\ \times \quad 22 \\ \hline \end{array}$

(세 자리 수)×(두 자리 수)

공부한 날	월 일
점수	/12

계산을 하세요.

① 103×31

② 416×28

③ 211×32

④ 921×34

⑤ 813×48

⑥ 382×19

⑦ 357×59

⑧ 207×65

⑨ 523×52

⑩ 312×13

⑪ 620×44

⑫ 249×37

(세 자리 수)×(두 자리 수)

공부한 날	월 일
점수	/12

계산을 하세요.

① $\begin{array}{r} 433 \\ \times \quad 21 \\ \hline \end{array}$

② $\begin{array}{r} 640 \\ \times \quad 54 \\ \hline \end{array}$

③ $\begin{array}{r} 451 \\ \times \quad 28 \\ \hline \end{array}$

④ $\begin{array}{r} 835 \\ \times \quad 24 \\ \hline \end{array}$

⑤ $\begin{array}{r} 570 \\ \times \quad 83 \\ \hline \end{array}$

⑥ $\begin{array}{r} 705 \\ \times \quad 37 \\ \hline \end{array}$

⑦ $\begin{array}{r} 392 \\ \times \quad 17 \\ \hline \end{array}$

⑧ $\begin{array}{r} 324 \\ \times \quad 72 \\ \hline \end{array}$

⑨ $\begin{array}{r} 321 \\ \times \quad 32 \\ \hline \end{array}$

⑩ $\begin{array}{r} 294 \\ \times \quad 82 \\ \hline \end{array}$

⑪ $\begin{array}{r} 132 \\ \times \quad 13 \\ \hline \end{array}$

⑫ $\begin{array}{r} 548 \\ \times \quad 36 \\ \hline \end{array}$

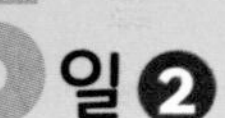

(세 자리 수)×(두 자리 수)

공부한 날	월 일
점수	/12

계산을 하세요.

① $\begin{array}{r} 458 \\ \times \quad 58 \\ \hline \end{array}$

② $\begin{array}{r} 239 \\ \times \quad 64 \\ \hline \end{array}$

③ $\begin{array}{r} 324 \\ \times \quad 22 \\ \hline \end{array}$

④ $\begin{array}{r} 356 \\ \times \quad 37 \\ \hline \end{array}$

⑤ $\begin{array}{r} 721 \\ \times \quad 23 \\ \hline \end{array}$

⑥ $\begin{array}{r} 620 \\ \times \quad 74 \\ \hline \end{array}$

⑦ $\begin{array}{r} 241 \\ \times \quad 12 \\ \hline \end{array}$

⑧ $\begin{array}{r} 382 \\ \times \quad 45 \\ \hline \end{array}$

⑨ $\begin{array}{r} 803 \\ \times \quad 72 \\ \hline \end{array}$

⑩ $\begin{array}{r} 543 \\ \times \quad 29 \\ \hline \end{array}$

⑪ $\begin{array}{r} 401 \\ \times \quad 21 \\ \hline \end{array}$

⑫ $\begin{array}{r} 710 \\ \times \quad 83 \\ \hline \end{array}$

MEMO

 1000math.com 

홈페이지

· 천종현수학연구소 소개 및 학습 자료 공유
· 출판 교재, 연구소 굿즈 구입

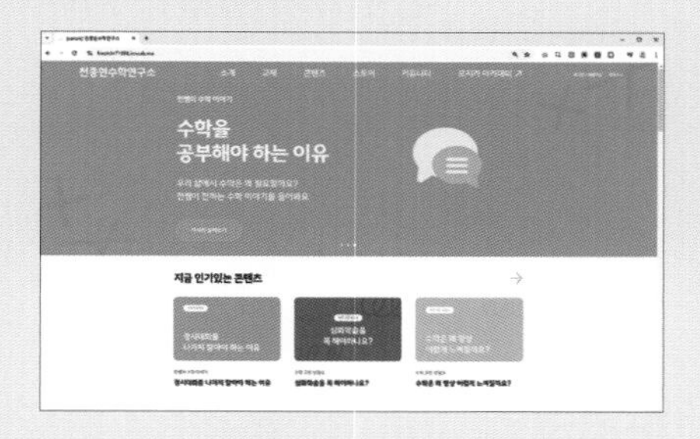

 cafe.naver.com/maths1000 

네이버카페

· 다양한 이벤트 및 '천쌤수학학습단' 진행
· 학습 상담 게시판 운영

 https://www.instagram.com/1000maths 

인스타그램

· 수학고민상담소 '천쌤에게 물어보셈' 릴스 보기
· 가장 빠르게 만나는 연구소 소식 및 이벤트

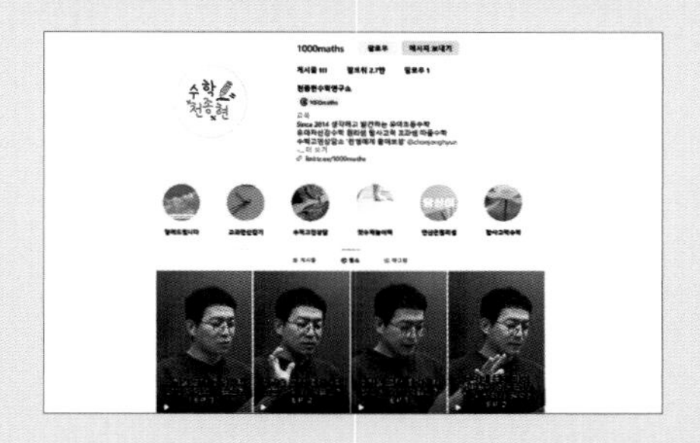

 https://www.youtube.com/@1000math4U 

유튜브

· 인스타 라이브방송 '천쌤에게 물어보셈' 다시 보기
· 고민 상담 사례 및 수학교육 기획 콘텐츠

천종현수학연구소는
유아 초등 수학 교재와 **콘텐츠**를 꾸준히 **개발**하고 있습니다. 네이버에 '**천종현수학연구소**'를 검색하시거나 **인스타그램**, **유튜브** 등 다양한 채널을 통해서도 **연산**과 **사고력 수학**, **교과 심화 학습**에 대한 **노하우**와 **정보**를 다양하게 제공합니다. 지금 바로 만나보세요.

SINCE **2014**

천종현수학연구소 출판 교재

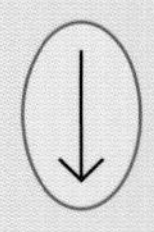

01
유아 자신감 수학

썼다 지웠다 붙였다 뗐다
우리 아이의 첫 수학 교재

02
TOP 사고력 수학

실력도 탑! 재미도 탑!
사고력 수학의 으뜸

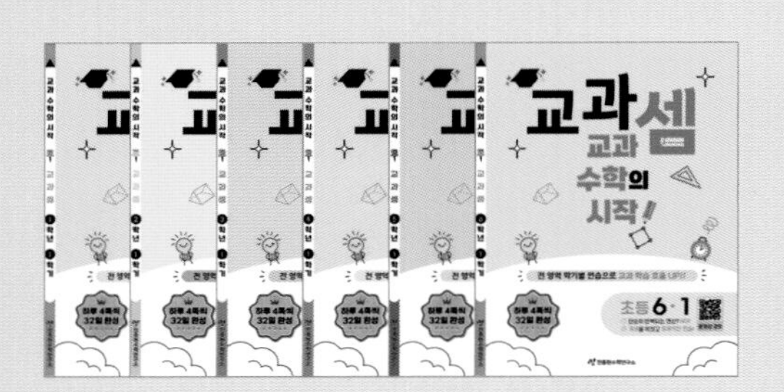

03
교과셈

사칙연산+도형, 측정, 경우의 수까지
반복 학습이 필요한 초등 연산 완성

04
따풀 수학

다양한 개념과 해결 방법을 배우는
배움이 있는 학습지

05
초등 사고력 수학의 원리/전략

진정한 수학 실력은 원리의 이해와 문제 해결 전략에서
재미있게 읽는 17년 초등 사고력 수학의 노하우!!

교과 과정
완벽 대비

원리셈

천종현 지음

3학년 3

(두/세 자리 수)×(두 자리 수)

천종현수학연구소

1주차 - (두 자리 수) x (두 자리 수)

10쪽

① 80
800

② 120
1200

11쪽

① 180
1800

② 560
5600

③ 400
4000

④ 140
1400

⑤ 540
5400

⑥ 300
3000

⑦ 720
7200

12쪽

① 5600 ② 2500
③ 1500 ④ 2100
⑤ 4800 ⑥ 2400
⑦ 1200 ⑧ 2400
⑨ 3200 ⑩ 3600
⑪ 8100 ⑫ 4500
⑬ 1400 ⑭ 3000

13쪽

① 1, 8, 0, 0 ② 4, 5, 0, 0 ③ 2, 8, 0, 0
④ 4, 9, 0, 0 ⑤ 2, 0, 0, 0 ⑥ 4, 8, 0, 0
⑦ 7, 2, 0, 0 ⑧ 2, 1, 0, 0 ⑨ 2, 4, 0, 0

14쪽

① 2, 8, 0, 0 ② 7, 2, 0, 0 ③ 1, 5, 0, 0
④ 1, 2, 0, 0 ⑤ 5, 6, 0, 0 ⑥ 2, 7, 0, 0
⑦ 3, 2, 0, 0 ⑧ 8, 1, 0, 0 ⑨ 1, 0, 0, 0
⑩ 5, 4, 0, 0 ⑪ 2, 4, 0, 0 ⑫ 2, 1, 0, 0

15쪽

① 1200 ② 1400 ③ 4000
④ 6400 ⑤ 1800 ⑥ 800
⑦ 3500 ⑧ 4800 ⑨ 2500
⑩ 3600 ⑪ 1200 ⑫ 2400

16쪽

① 102
1020

② 112
1120

17쪽

① 192
1920

② 315
3150

③ 80
800

④ 441
4410

⑤ 135
1350

⑥ 174
1740

⑦ 156
1560

18쪽

① 780 ② 960
③ 2340 ④ 1680
⑤ 740 ⑥ 2720
⑦ 1330 ⑧ 640
⑨ 4950 ⑩ 2200
⑪ 6640 ⑫ 1080
⑬ 1000 ⑭ 1410

19쪽

① 4
2, 2, 2, 0

② 3
2, 7, 2, 0

③ 1
1, 7, 6, 0

④ 1
1, 3, 8, 0

⑤ 2
4, 7, 5, 0

⑥ 3
3, 0, 6, 0

20쪽

① 2
1, 8, 8, 0

② 3
1, 8, 0, 0

③ 4
4, 6, 8, 0

④ 1
1, 9, 2, 0

⑤ 2
2, 3, 8, 0

⑥ 4
6, 8, 8, 0

⑦ 2
1, 4, 8, 0

⑧ 5
1, 7, 4, 0

⑨ 2
2, 2, 0, 0

⑩ 1
3, 1, 5, 0

⑪ 3
2, 7, 6, 0

⑫ 6
6, 9, 3, 0

21쪽

① 1680 ② 2820 ③ 2370
④ 4400 ⑤ 5130 ⑥ 2520
⑦ 810 ⑧ 900 ⑨ 7920
⑩ 1960 ⑪ 3990 ⑫ 3320

22쪽

① 2380
2040

② 1000
4500

③ 2720
5440

④ 2400
4000

⑤ 3600
2160

23쪽

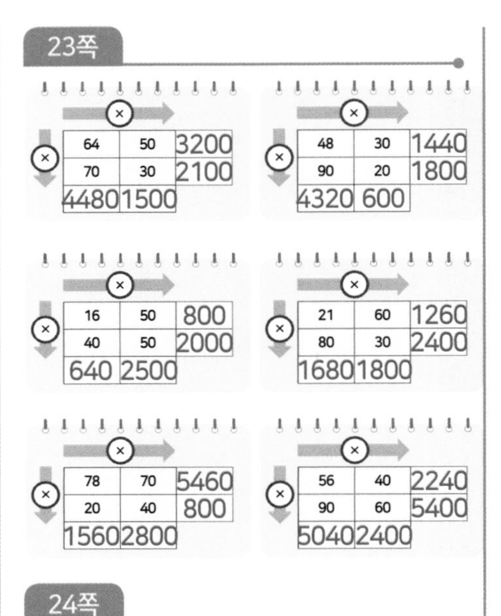

24쪽

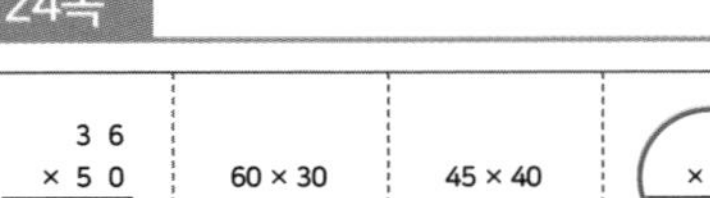

36×50 = 1800	60 × 30 = 1800	45 × 40 = 1800	(○) 35×60 = 2100
(○) 45 × 50 = 2250	48×50 = 2400	30×80 = 2400	60 × 40 = 2400
15 × 40 = 600	(○) 14×50 = 700	30 × 20 = 600	12×50 = 600
75×20 = 1500	25×60 = 1500	30 × 50 = 1500	(○) 46 × 30 = 1380

2주차 - 바꾸어 곱하기

26쪽

① 180, 63
243

② 180, 30
210

27쪽

① 400, 24
424

② 240, 48
288

③ 100, 35
135

④ 270, 54
324

⑤ 560, 63
623

⑥ 360, 28
388

⑦ 560, 32
592

28쪽

① 325 ② 216
③ 136 ④ 510
⑤ 371 ⑥ 234
⑦ 392 ⑧ 390
⑨ 738 ⑩ 679
⑪ 348 ⑫ 116

29쪽

① 2 / 1, 7, 4
② 4 / 3, 2, 2
③ 1 / 2, 8, 8
④ 3 / 1, 8, 0
⑤ 3 / 2, 7, 6
⑥ 3 / 2, 7, 0
⑦ 4 / 6, 0, 8
⑧ 2 / 1, 4, 7
⑨ 4 / 5, 2, 2

30쪽

① 1 / 4, 3, 4
② 8 / 4, 4, 1
③ 4 / 2, 2, 8
④ 3 / 1, 8, 5
⑤ 2 / 3, 8, 4
⑥ 1 / 2, 5, 2
⑦ 2 / 4, 2, 4
⑧ 3 / 4, 5, 6
⑨ 6 / 2, 7, 3
⑩ 6 / 2, 4, 3
⑪ 2 / 5, 0, 4
⑫ 2 / 2, 7, 5

31쪽

① 27 × 8 = 216 ➡ 8 × 27 = 216
② 9 × 18 = 162 ➡ 18 × 9 = 162
③ 28 × 2 = 56 ➡ 2 × 28 = 56
④ 7 × 54 = 378 ➡ 54 × 7 = 378
⑤ 35 × 8 = 280 ➡ 8 × 35 = 280
⑥ 5 × 87 = 435 ➡ 87 × 5 = 435

32쪽

① 87 / 870
② 100 / 1000

33쪽

① 170 / 1700
② 168 / 1680
③ 328 / 3280
④ 423 / 4230
⑤ 476 / 4760
⑥ 232 / 2320
⑦ 462 / 4620

34쪽

① 3120
② 870
③ 3360
④ 6640
⑤ 3350
⑥ 2660
⑦ 1720
⑧ 1700
⑨ 5580
⑩ 4620
⑪ 2800
⑫ 4060
⑬ 3480
⑭ 2450

35쪽

① 4 / 3, 6, 8, 0
② 4 / 2, 2, 2, 0
③ 1 / 2, 6, 0, 0
④ 3 / 1, 1, 2, 0
⑤ 3 / 8, 4, 6, 0
⑥ 2 / 5, 8, 1, 0

36쪽

① 1 / 2, 5, 8, 0
② 4 / 1, 4, 0, 0
③ 1 / 2, 5, 6, 0
④ 1 / 1, 1, 4, 0
⑤ 2 / 7, 4, 7, 0
⑥ 1 / 2, 5, 6, 0
⑦ 4 / 1, 9, 5, 0
⑧ 4 / 3, 9, 2, 0
⑨ 4 / 2, 8, 8, 0
⑩ 1 / 7, 3, 6, 0
⑪ 1 / 1, 3, 2, 0
⑫ 1 / 2, 5, 5, 0

37쪽

① 1 / 3, 1, 8, 0
② 3 / 2, 1, 6, 0
③ 3 / 8, 5, 0
④ 1 / 1, 3, 5, 0
⑤ 2 / 3, 0, 4, 0
⑥ 6 / 3, 0, 4, 0
⑦ 3 / 5, 7, 6, 0
⑧ 1 / 3, 6, 4, 0
⑨ 1 / 1, 7, 8, 0
⑩ 5 / 6, 1, 6, 0
⑪ 3 / 3, 9, 0, 0
⑫ 3 / 4, 8, 0, 0

38쪽

① 152
② 623
③ 152
④ 384
⑤ 105
⑥ 132
⑦ 675
⑧ 651
⑨ 252
⑩ 330
⑪ 116
⑫ 468

39쪽

① 4740
② 1080
③ 2970
④ 2300
⑤ 4060
⑥ 1410
⑦ 1360
⑧ 6640
⑨ 1540
⑩ 1770
⑪ 2220
⑫ 3250

40쪽

① 280 ② 1850 ③ 3440
④ 5250 ⑤ 112 ⑥ 306
⑦ 1160 ⑧ 5040 ⑨ 330
⑩ 510 ⑪ 343 ⑫ 335

3주차 - (몇십몇)x(몇십몇)

42쪽

①

×	30	9
50	1500	450
4	120	36

39 × 54 = 2106

②

×	10	7
60	600	420
3	30	21

17 × 63 = 1071

③

×	40	3
40	1600	120
8	320	24

43 × 48 = 2064

④

×	20	6
50	1000	300
9	180	54

26 × 59 = 1534

43쪽

① 1880, 94 → 1974
② 760, 190 → 950
③ 3150, 378 → 3528
④ 290, 203 → 493
⑤ 1660, 498 → 2158
⑥ 1590, 212 → 1802

44쪽

① 750, 75, 825
② 1260, 441, 1701
③ 480, 336, 816
④ 2100, 70, 2170
⑤ 1500, 600, 2100
⑥ 2300, 138, 2438
⑦ 2280, 304, 2584
⑧ 380, 133, 513

45쪽

① 34, 68, 714
② 26, 39, 416
③ 84, 84, 924
④ 69, 46, 529
⑤ 32, 96, 992
⑥ 77, 88, 957
⑦ 66, 88, 946
⑧ 28, 14, 168

46쪽

① 68, 34, 408
② 22, 88, 902
③ 62, 93, 992
④ 13, 39, 403
⑤ 69, 69, 759
⑥ 28, 28, 308
⑦ 28, 14, 168
⑧ 14, 28, 294
⑨ 79, 79, 869
⑩ 48, 48, 528
⑪ 39, 13, 169

47쪽

① 63, 42, 483
② 48, 24, 288
③ 46, 69, 736
④ 96, 32, 416
⑤ 39, 26, 299
⑥ 12, 24, 252
⑦ 24, 48, 504
⑧ 55, 11, 165
⑨ 66, 66, 726
⑩ 21, 84, 861
⑪ 86, 43, 516
⑫ 88, 22, 308

48쪽

① 232 / 348 / 3712 ② 138 / 322 / 3358 ③ 666 / 222 / 2886 ④ 192 / 48 / 672

⑤ 208 / 364 / 3848 ⑥ 315 / 105 / 1365 ⑦ 378 / 42 / 798 ⑧ 216 / 243 / 2646

49쪽

① 312 / 156 / 1872 ② 588 / 672 / 7308 ③ 744 / 372 / 4464

④ 170 / 510 / 5270 ⑤ 160 / 224 / 2400 ⑥ 57 / 38 / 437 ⑦ 180 / 225 / 2430

⑧ 204 / 612 / 6324 ⑨ 189 / 135 / 1539 ⑩ 864 / 192 / 2784 ⑪ 448 / 336 / 3808

50쪽

① 344 / 344 / 3784 ② 420 / 252 / 2940 ③ 684 / 380 / 4484 ④ 54 / 162 / 1674

⑤ 256 / 224 / 2496 ⑥ 390 / 260 / 2990 ⑦ 270 / 270 / 2970 ⑧ 76 / 57 / 646

⑨ 468 / 390 / 4368 ⑩ 192 / 768 / 7872 ⑪ 117 / 234 / 2457 ⑫ 616 / 264 / 3256

51쪽

① 528 ② 429 ③ 408

④ 672 ⑤ 516 ⑥ 288

⑦ 176 ⑧ 483 ⑨ 308

⑩ 759 ⑪ 961 ⑫ 308

52쪽

① 3818 ② 3150 ③ 2378

④ 5244 ⑤ 1248 ⑥ 2964

⑦ 4345 ⑧ 2914 ⑨ 6205

⑩ 2075 ⑪ 1692 ⑫ 5141

53쪽

① 1085 ② 936 ③ 1856

④ 5525 ⑤ 2268 ⑥ 4725

⑦ 1771 ⑧ 4234 ⑨ 504

⑩ 308 ⑪ 1269 ⑫ 1908

54쪽

①

24	68	56	82
72	29	43	26
48	612	168	492
168	136	224	164
1728	1972	2408	2132

②

11	49	32	29
73	54	23	98
33	196	96	232
77	245	64	261
803	2646	736	2842

③

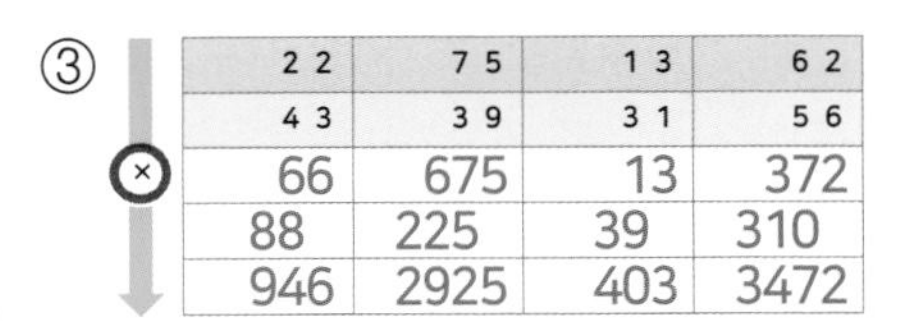

22	75	13	62
43	39	31	56
66	675	13	372
88	225	39	310
946	2925	403	3472

55쪽

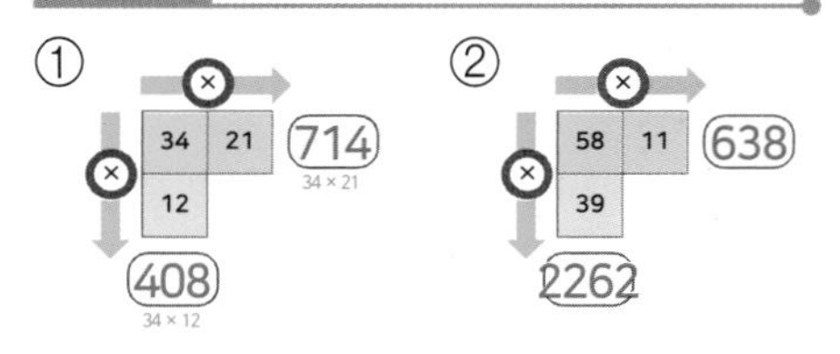

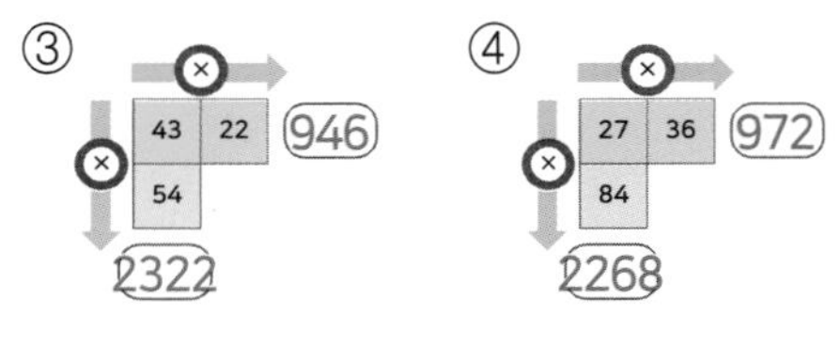

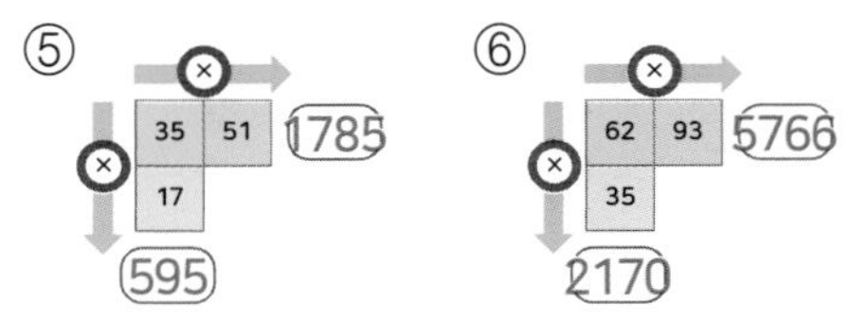

56쪽

21 × 41 = 861 (○)	32 × 23 = 736	42 × 11 = 462	24 × 32 = 768
12 × 32 = 384	31 × 13 = 403	23 × 14 = 322	17 × 28 = 476 (○)
47 × 34 = 1598	36 × 45 = 1620	26 × 63 = 1638 (○)	28 × 54 = 1512
67 × 82 = 5494	74 × 76 = 5624	59 × 93 = 5487	64 × 89 = 5696 (○)

4주차 - 도전! 계산왕

58쪽

① 3666 ② 3312 ③ 2156 ④ 5046
⑤ 5184 ⑥ 1000 ⑦ 3660 ⑧ 7221
⑨ 2627 ⑩ 798 ⑪ 7565
⑫ 1638 ⑬ 7740 ⑭ 2613

59쪽

① 4371 ② 4080 ③ 702 ④ 1239
⑤ 2430 ⑥ 2726 ⑦ 2900 ⑧ 960
⑨ 559 ⑩ 2438 ⑪ 1716
⑫ 990 ⑬ 4307 ⑭ 748

60쪽

① 5460 ② 7020 ③ 3995 ④ 6461
⑤ 896 ⑥ 588 ⑦ 2720 ⑧ 5810
⑨ 780 ⑩ 5586 ⑪ 1104
⑫ 3382 ⑬ 4641 ⑭ 3827

61쪽

① 1258 ② 1300 ③ 1215 ④ 4136
⑤ 1560 ⑥ 4399 ⑦ 504 ⑧ 744
⑨ 320 ⑩ 4662 ⑪ 2204
⑫ 975 ⑬ 1139 ⑭ 4712

62쪽

① 784 ② 1805 ③ 3762 ④ 1155
⑤ 1800 ⑥ 6887 ⑦ 962 ⑧ 5472
⑨ 2880 ⑩ 2320 ⑪ 440
⑫ 513 ⑬ 5005 ⑭ 3840

63쪽

① 1863 ② 4640 ③ 640 ④ 665
⑤ 5658 ⑥ 2440 ⑦ 504 ⑧ 1344
⑨ 7708 ⑩ 1045 ⑪ 1566
⑫ 6586 ⑬ 5734 ⑭ 2720

64쪽

① 437 ② 6688 ③ 2520 ④ 4788
⑤ 3570 ⑥ 396 ⑦ 209 ⑧ 2520
⑨ 4806 ⑩ 1599 ⑪ 924
⑫ 6688 ⑬ 3315 ⑭ 744

65쪽

① 7544 ② 4664 ③ 1012 ④ 6580
⑤ 350 ⑥ 2392 ⑦ 1672 ⑧ 5146
⑨ 902 ⑩ 2604 ⑪ 736
⑫ 2856 ⑬ 2745 ⑭ 2352

66쪽

① 4674 ② 1176 ③ 4240 ④ 2077
⑤ 1560 ⑥ 2835 ⑦ 605 ⑧ 418
⑨ 2952 ⑩ 3660 ⑪ 792
⑫ 2214 ⑬ 2024 ⑭ 3710

67쪽

① 2028 ② 3895 ③ 2064 ④ 3100
⑤ 2268 ⑥ 1095 ⑦ 903 ⑧ 4606
⑨ 2166 ⑩ 2108 ⑪ 715
⑫ 1185 ⑬ 5859 ⑭ 3471

5주차 - (세 자리 수)x(두 자리 수)

70쪽

① 936	② 112	③ 412	④ 462
624	448	824	462
7176	4592	8652	5082
⑤ 488	⑥ 846	⑦ 288	⑧ 696
366	423	288	464
4148	5076	3168	5336

71쪽

	① 213	② 996	③ 480
	639	332	240
	6603	4316	2880
④ 142	⑤ 428	⑥ 939	⑦ 848
284	214	626	212
2982	2568	7199	2968
⑧ 246	⑨ 262	⑩ 301	⑪ 648
369	131	903	324
3936	1572	9331	3888

72쪽

① 243	② 930	③ 286	④ 648
486	310	143	648
5103	4030	1716	7128
⑤ 963	⑥ 132	⑦ 234	⑧ 221
642	396	468	884
7383	4092	4914	9061
⑨ 426	⑩ 142	⑪ 906	⑫ 484
639	284	906	121
6816	2982	9966	1694

73쪽

① 3140
2512
28260

② 1644
2466
26304

③ 4151
4744
51591

④ 3408
2556
28968

⑤ 2853
1585
18703

⑥ 2175
5075
52925

74쪽

① 4184
2092
25104

② 2382
4764
50022

③ 4160
3328
37440

④ 3032
2274
25772

⑤ 3255
930
12555

⑥ 1356
5424
55596

⑦ 3258
4887
52128

⑧ 747
1245
13197

75쪽

① 2024
1012
12144

② 1472
4416
45632

③ 3915
870
12615

④ 3235
1941
22645

⑤ 2862
954
12402

⑥ 2200
1925
21450

⑦ 3558
1186
15418

⑧ 2145
3861
40755

⑨ 1728
6912
70848

76쪽

① 3888 ② 5313 ③ 8463
④ 2728 ⑤ 7140 ⑥ 1608
⑦ 6816 ⑧ 4056 ⑨ 3036
⑩ 7182 ⑪ 1339 ⑫ 6913

77쪽

① 8385 ② 38064 ③ 22334
④ 22776 ⑤ 12339 ⑥ 55936
⑦ 38485 ⑧ 59840 ⑨ 32648
⑩ 36328 ⑪ 31920 ⑫ 16182

78쪽

① 24500 ② 12075 ③ 13098
④ 48348 ⑤ 2651 ⑥ 36134
⑦ 24596 ⑧ 37076 ⑨ 4092
⑩ 28044 ⑪ 5290 ⑫ 46400

79쪽

698
× 43
2094
2792
30014

917
× 52
1834
4585
47684

365
× 84
1460
2920
30660

492
× 25
2460
984
12300

803
× 36
4818
2409
28908

726
× 85
3630
5808
61710

268
× 39
2412
804
10452

548
× 64
2192
3288
35072

230
× 76
1380
1610
17480

80쪽

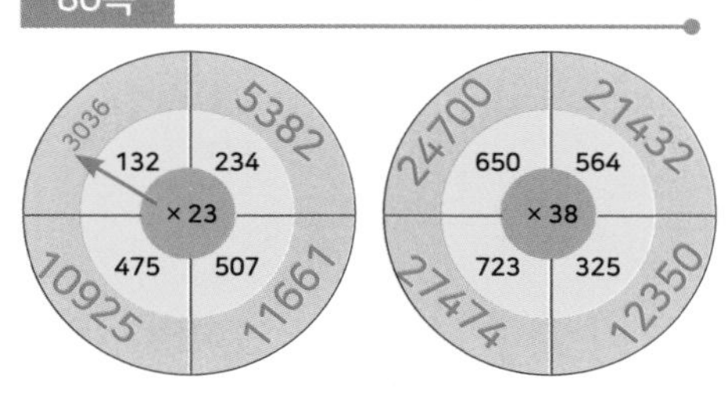

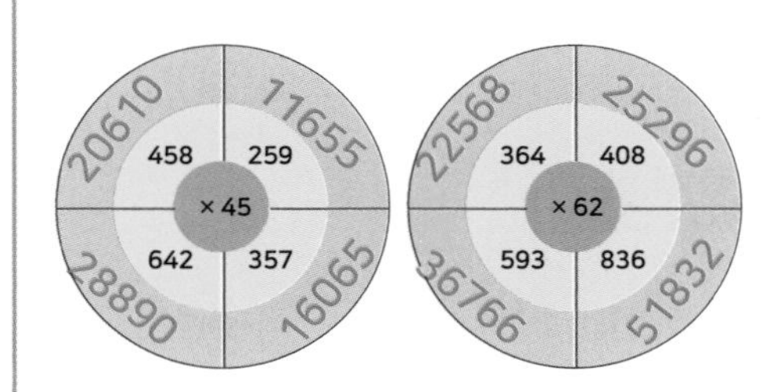

81쪽

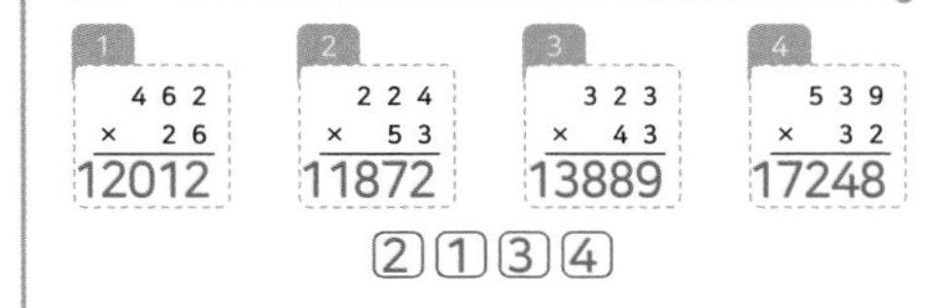

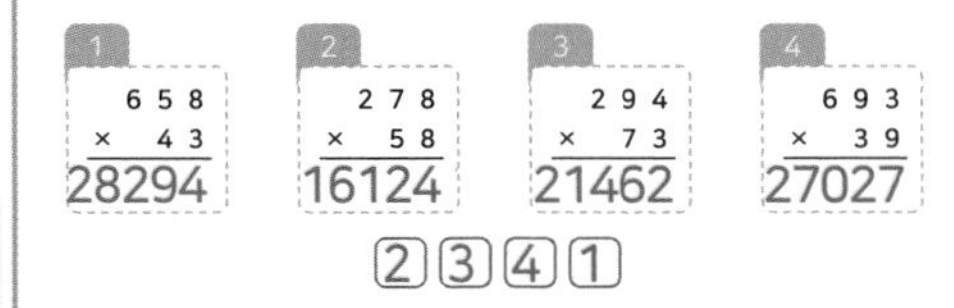

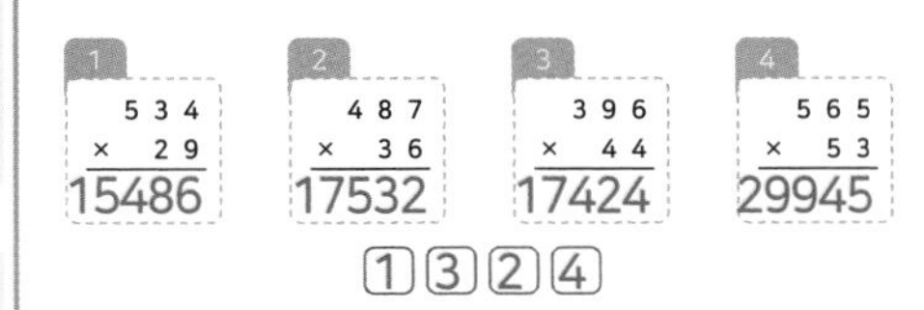

82쪽

① 132 × 15 = 1980, 1980

② 104 × 15 = 1560, 1560

83쪽

① 356 × 25 = 8900, 8900

② 108 × 19 = 2052, 2052

③ 157 × 32 = 5024, 5024

④ 235 × 12 = 2820, 2820

84쪽

① 258 × 17 = 4386, 4386

② 458 × 30 = 13740, 13740

③ 274 × 25 = 6850, 6850

④ 108 × 64 = 6912, 6912

6주차 - 도전! 계산왕

86쪽

① 5076 ② 26166 ③ 6946
④ 22620 ⑤ 25575 ⑥ 6630
⑦ 37648 ⑧ 4305 ⑨ 4092
⑩ 19215 ⑪ 10868 ⑫ 18720

87쪽

① 3003 ② 10296 ③ 27900
④ 23040 ⑤ 16435 ⑥ 30432
⑦ 24024 ⑧ 5586 ⑨ 7480
⑩ 4069 ⑪ 36816 ⑫ 14898

88쪽

① 1716 ② 39096 ③ 3168
④ 17670 ⑤ 27047 ⑥ 25994
⑦ 40376 ⑧ 21948 ⑨ 2828
⑩ 13051 ⑪ 15792 ⑫ 12555

89쪽

① 3550 ② 30683 ③ 10626
④ 13720 ⑤ 44968 ⑥ 4012
⑦ 3102 ⑧ 29192 ⑨ 16445
⑩ 33142 ⑪ 11968 ⑫ 7161

90쪽

① 19380 ② 2892 ③ 9144
④ 17094 ⑤ 45136 ⑥ 24912
⑦ 27408 ⑧ 16385 ⑨ 4160
⑩ 5359 ⑪ 7488 ⑫ 51759

91쪽

① 16354 ② 9306 ③ 6320
④ 27004 ⑤ 42185 ⑥ 14430
⑦ 2751 ⑧ 4875 ⑨ 36646
⑩ 14144 ⑪ 12192 ⑫ 7029

92쪽

① 20241 ② 12465 ③ 4056
④ 20601 ⑤ 12796 ⑥ 11094
⑦ 4944 ⑧ 33436 ⑨ 17376
⑩ 15980 ⑪ 30194 ⑫ 5104

93쪽

① 3193 ② 11648 ③ 6752
④ 31314 ⑤ 39024 ⑥ 7258
⑦ 21063 ⑧ 13455 ⑨ 27196
⑩ 4056 ⑪ 27280 ⑫ 9213

94쪽

① 9093 ② 34560 ③ 12628
④ 20040 ⑤ 47310 ⑥ 26085
⑦ 6664 ⑧ 23328 ⑨ 10272
⑩ 24108 ⑪ 1716 ⑫ 19728

95쪽

① 26564 ② 15296 ③ 7128
④ 13172 ⑤ 16583 ⑥ 45880
⑦ 2892 ⑧ 17190 ⑨ 57816
⑩ 15747 ⑪ 8421 ⑫ 58930

총괄 테스트 정답

3권 (두/세 자리 수)×(두 자리 수)

총괄 테스트

이름 점수

01 계산을 하세요.

① 60 × 40 = 2400 ② 70 × 90 = 6300

③ 50 × 80 = 4000 ④ 90 × 60 = 5400

02 빈칸에 알맞은 수를 써넣으세요.

① 30 × 60 = 1800 ② 70 × 80 = 5600

03 계산을 하세요.

① 36 × 40 = 1440 ② 49 × 20 = 980

③ 37 × 90 = 3330 ④ 25 × 50 = 1250

04 세로셈으로 계산하세요.

① (3) 28 × 40 = 1120 ② (6) 67 × 90 = 6030

05 빈 곳에 알맞은 수를 써넣으세요.

39	20	780
70	40	2800
2730	800	

06 계산을 하세요.

① 4 × 35 = 140 ② 3 × 63 = 189

③ 7 × 29 = 203 ④ 5 × 48 = 240

07 빈칸에 알맞은 수를 써넣으세요.

① (6) 8 × 68 = 544 ② (5) 7 × 48 = 336

08 계산을 하세요.

① 30 × 78 = 2340 ② 80 × 29 = 2320

③ 60 × 56 = 3360 ④ 40 × 83 = 3320

09 빈칸에 알맞은 수를 써넣으세요.

① (4) 80 × 26 = 2080 ② (4) 60 × 47 = 2820

10 계산을 하세요.

① 60 × 43 = 2580 ② 9 × 34 = 306

11 빈칸에 알맞은 수를 써넣으세요.

37 × 43 — 37 × 40 = 1480, 37 × 3 = 111 — 1591

12 계산을 하세요.

① 62 × 34 = 2108 ② 59 × 63 = 3717

13 계산을 하세요.

① 94 × 76 = 7144 ② 42 × 58 = 2436

14 계산을 하세요.

① 46 × 43 = 1978 ② 27 × 39 = 1053

③ 83 × 67 = 5561 ④ 59 × 36 = 2124

15 빈칸에 알맞은 수를 써넣으세요.

52	24	1248
75		
3900		

16 계산을 하세요.

① 637 × 39: 5733, 1911, 24843

② 542 × 65: 2710, 3252, 35230

17 계산을 하세요.

① 287 × 48: 2296, 1148, 13776

② 456 × 34: 1824, 1368, 15504

18 계산을 하세요.

① 195 × 67 = 13065 ② 348 × 43 = 14964

19 계산을 하세요.

① 509 × 78 = 39702 ② 780 × 63 = 49140

20 귤 한 상자에는 귤이 176개씩 들어 있습니다. 귤 57상자에 들어 있는 귤은 모두 몇 개일까요?

식: 176 × 57 = 10032

답: 10032 개

원리 이해

다양한 계산 방법

충분한 연습

성취도 확인

- **마술 같은 논리 수학 매직**
  전 영역에 걸쳐 균형 있는 논리력, 문제해결력 기르기

- **생각하고 발견하는 수학 로지카**
  최고 수준 학습을 위한 사고력, 문제해결력 기르기

- **문제해결력 향상을 위한 실전서**
  문제해결사 PULL UP
  학년별 실전 고난도 문제해결을 위한 브릿지 학습

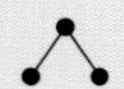

천종현수학연구소의 학원 프로그램, **로지카 아카데미**

"수학으로 세상을 다르게 보는 아이로!"
"생각하고 발견하는 수학, **로지카 아카데미**에서 시작하세요."

20년 차 수학교육전문가 천종현 소장과 함께 생각하는 힘을 기를 수 있는 곳, 로지카 아카데미입니다. 생각하고 발견하는 수학을 통해 아이들은 새로운 세상을 만나게 될 것입니다. 오늘부터 아이의 수학 여정을 로지카 아카데미와 함께하세요.

▶ ▷ ▷ ▷ **로지카 아카데미** www.logicaedu.kr

천종현수학연구소의 교재 흐름도

	4세	5세	6세	7세	초 1
출판 교재					
유자수 · 탑사고력	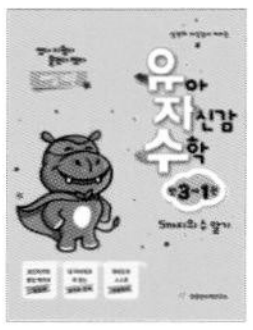 만 3세	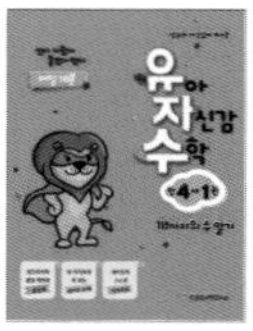 만 4세	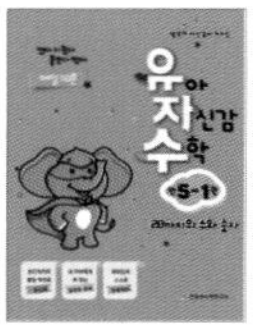 만 5세	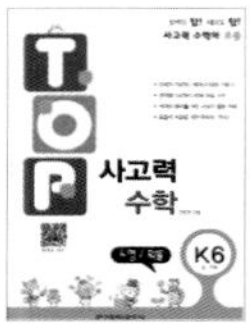 K단계	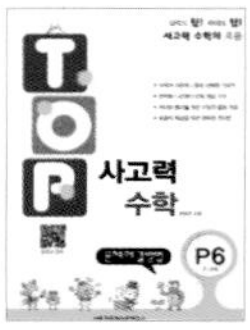 P단계
원리셈		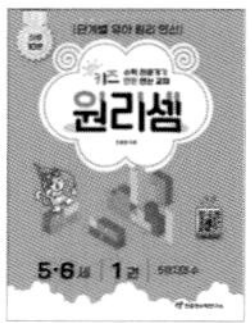 5, 6세	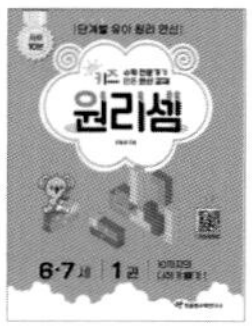 6, 7세	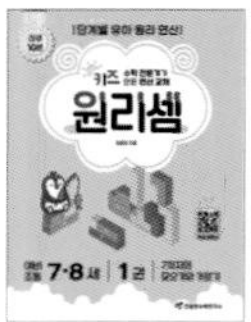 7, 8세	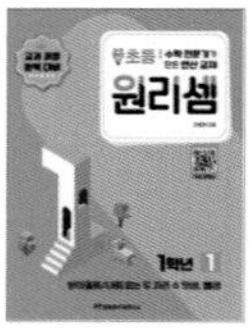 초등 1
교과셈					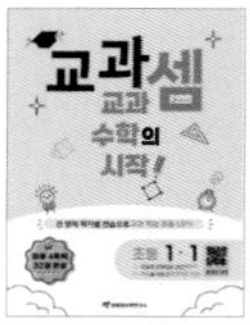 초등 1
따풀				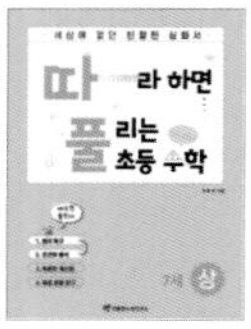 7세	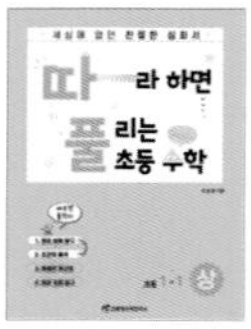 초등 1
학원 교재					
매직 · 로지카			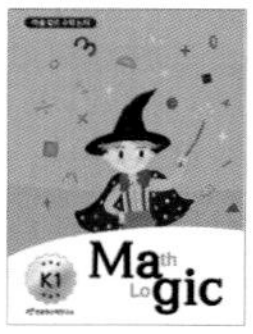 K단계	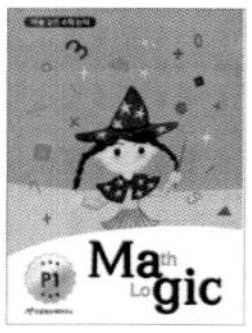 P단계	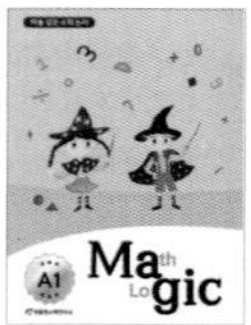 A단계
풀업				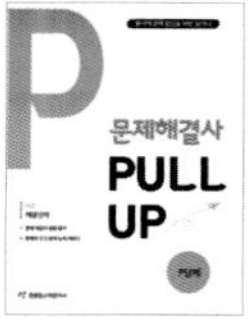 P단계	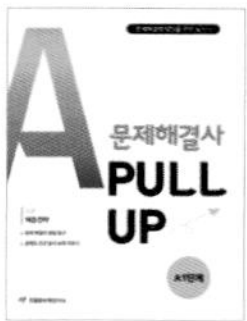 A단계